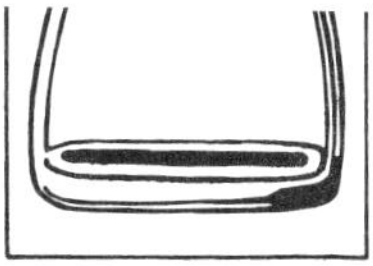

Kurt Hoffmann

Reitschule für Anfänger

Mit 61 Abbildungen
von Gisela Holstein und
Kurt Hoffmann

6. Auflage

Franckh'sche
Verlagshandlung
Stuttgart

Mit 61 Abbildungen im Text von Gisela Holstein und Kurt Hoffmann
Umschlaggestaltung: Siegfried Fischer
unter Verwendung eines Farbdias von Uwe Höch

Holländische Ausgabe bei Uitgeverij Helmond / Niederlande

CIP-Kurztitelaufnahme der Deutschen Bibliothek

Hoffmann, Kurt:
Reitschule für Anfänger / Kurt Hoffmann. Mit 61
Abb. von Gisela Holstein u. Kurt Hoffmann. –
6. Aufl. – Stuttgart : Franckh, 1980.
(Franckhs Reiterbibliothek)
ISBN 3-440-04787-3

6. Auflage / 57.–66. Tausend
Franckh'sche Verlagshandlung, W. Keller & Co., Stuttgart / 1980

Printed in Germany / Imprimé en Allemagne / L 9sp Hrr / ISBN 3-440-04787-3
Gesamtherstellung: Konrad Triltsch, Graphischer Betrieb, Würzburg

Reitschule für Anfänger

Vorwort

Das Pferd ist auf beiden Seiten abschüssig und trachtet dem Menschen nach dem Leben. *Der Anfänger*

Das höchste Glück der Erde liegt auf dem Rücken der Pferde. *Der Reiter*

Es gibt eine Reihe vorzüglicher Bücher über das Reiten. Daß ich dennoch diese kleine Fibel geschrieben habe, hat drei Gründe: Erstens habe ich an mir selbst gemerkt, daß vieles von dem, was die großen Reitpädagogen geschrieben haben, für den, der erst anfängt, zu hoch ist. Wie auf anderen Gebieten gibt es eben auch eine Reiter-Fachsprache, eine Art „Reiter-Chinesisch". Aber was als prägnanter Fachausdruck die Verständigung unter den alten Reitern erleichtert, verwirrt den Neuling nur. Er kann sich unter dem anscheinend so plastischen Bild nichts (oder noch nichts) Rechtes vorstellen, oder er versteht es sogar ganz falsch.
Und dann ist Reiten eine Art Gesellschaftsspiel. Denn wenn Sie kein eigenes Rittergut besitzen, reiten Sie im allgemeinen mit anderen zusammen. Die Verkehrsregeln für ebendieses „Miteinander" scheinen mir in anderen Büchern oft etwas zu kurz gekommen zu sein.
Zu guter Letzt wollte ich auch sehen, ob das, was ich mir im Laufe der Jahre so an Reiterweisheit zurechtgelegt habe, anderen auch einleuchtet und ihnen (Ihnen?) hilft, bald die gleiche Freude an Pferd und Reitsport zu fühlen wie ich.

In der zweiten Auflage konnte ich einige Fehler verbessern. Lassen Sie mich (über den Verlag) wissen, wo Sie etwas für schwer verständlich oder falsch halten.

Das Reitpferd

Haben Sie sich einmal klargemacht, daß bis zur Einführung der Eisenbahn, also bis vor gut hundert Jahren, das Pferd der einzige, unersetzliche Helfer des Menschen beim Gütertransport und beim Reisen war? Wann unsere Vorfahren angefangen haben, Wildpferde einzufangen, sie zu zähmen und zu züchten, wissen wir nicht genau. In der Steinzeit sah man im Pferd lediglich eine jagdbare Beute. Inzwischen sind die verschiedenen Wildpferde ausgestorben. An ihre Stelle sind sorgfältig gezüchtete Pferderassen getreten.

Allgemeines

Im Biologiebuch steht, das Pferd sei ein Warmblüter, ein Säugetier aus der Ordnung der Huftiere. Es ist (zum Beispiel im Gegensatz zum Rind) ein Unpaarzeher: Seine Beine entsprechen unserem Unterarm und Mittelfinger, die anderen Finger und Zehen haben sich zurückgebildet oder sind ganz verschwunden. Esel und Zebra sind seine nächsten Verwandten.
Unter den Hauspferden gibt es drei große Gruppen: *Kaltblut* nennt man die bis 1000 kg schweren Zugpferde, die Sie ab und zu noch vor den großen Brauereiwagen sehen. *Warmblut* ist der Sammelbegriff für die gebräuchlichen Reit- und Wagenpferde. *Vollblut* sind die hochgezüchteten Renn- und Springpferde. (Diese Namen sagen übrigens nichts über die Bluttemperatur aus, eher über das Temperament.)
Als Reiter haben Sie es also immer mit Warmblut-Pferden zu tun. Am berühmtesten sind die Lipizzaner (die nach dem ehemaligen österreichischen Hofgestüt Lipizza — im jetzigen Jugoslawien — heißen) oder die aus Ostpreußen stammenden Trakehner. Gute Reitpferde sind die Abkömmlinge der in unseren *Landgestüten* gezüchteten Tiere — also zum Beispiel Hannoveraner, Holsteiner, Oldenburger, Ostpreußen (Trakehner), Westfalen oder Württem-

Bild 1. Form und Lage der Brände einiger deutscher Warmblüter

Hannoveraner: Hauptstammbuchbrand; Fohlen linker Hinterschenkel, eingetragene Stuten linke Halsseite
Holsteiner: Fohlen linker Hinterschenkel
Oldenburger: Stammbuchbrand linker Hinterschenkel, Prämienbrand rechter Hinterschenkel
Ostpreuße: Fohlen von anerkannten Stammbuchhengsten und Stuten des Vor- und Hauptregisters linker Hinterschenkel
Westfale: Fohlen linker Hinterschenkel
Württemberger: eingetragene Stuten rechter Hinterschenkel

berger. Pferde, die im betreffenden „Stutbuch" eingetragen sind, tragen einen Brand.

Daß der *Hengst* das männliche Pferd und die *Stute* das weibliche ist, wissen Sie; ebenso, daß man einen kastrierten Hengst *Wallach* nennt und das junge Pferd *Fohlen*. Mit ca. 3 Jahren ist das Pferd erwachsen genug, um arbeiten zu können bzw. um geritten zu werden. Am leistungsfähigsten ist es zwischen seinem sechsten und zwölften *Lebensjahr*. Reiten können Sie ein Pferd im Durchschnitt, bis es 18 oder 20 Jahre alt ist. Pferde werden 30, ja sogar 40 Jahre alt.

Schon wenn die jungen Pferde erst ein halbes Jahr alt sind, beginnen die Hengstfohlen zu decken und die Stutfohlen rossig zu werden. Man muß sie also auf den Weiden, wo sie in diesem Alter leben, voneinander trennen. Mit etwa drei Jahren beginnt dann die Erziehung zum Reitpferd, die Dressur. Das erste ist, das Pferd an den Sattel zu gewöhnen — zunächst noch ohne Reiter. Das erste Aufsitzen eines Reiters auf ein ganz ungerittenes Pferd kann recht dramatisch werden. Das zweite Stadium ist, das Pferd „an die

Hilfen zu stellen". Das heißt, es muß lernen, was die vom Reiter gegebenen „Hilfen" bedeuten. Es muß mit dieser „Zeichensprache" erst vertraut werden, muß lernen, was die Einwirkung mit Gewicht, Schenkel und Zügel bedeuten. Und erst dann kann der dritte Schritt folgen, die eigentliche Dressur.

Nach ihrer Haarfarbe unterscheidet man *Braune:* braunes Deckhaar (Fell) und schwarzes Langhaar (Schweif und Mähne); *Füchse:* Deckhaar und Langhaar haben dieselbe Farbe, von hellbraun bis dunkelrotbraun. *Rappen* haben schwarze, *Schimmel* weiße Haare. *Schecken* sind unregelmäßig gefleckt. *Isabellen* sind chamois getönt, *Falben* haben ein ähnliches Fell, aber schwarzes Langhaar und einen dunklen „Aalstrich" auf dem Rücken.

Je nach Farbabstufung unterscheidet man weiter in Hellbraune, Braune, Dunkelbraune und Schwarzbraune. Bei den Füchsen gibt

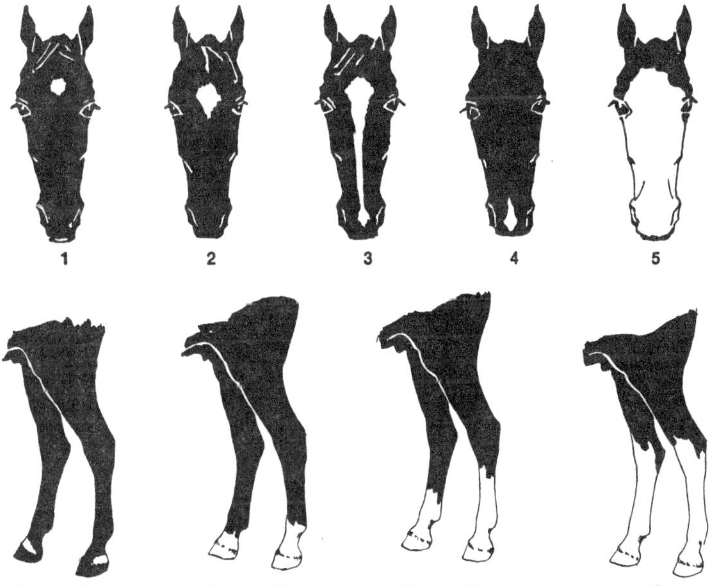

Bild 2. Abzeichen an Kopf und Beinen

1 Flocke
2 Stern
3 schmale Blesse
4 Schnippe
5 Laterne
6 weiße Krone
7 weißer Ballen
8 halbweiße Fessel
9 weiße Fessel
10 halbweißer Fuß
11 weißer Fuß
12 hochweißer Fuß

es Hellfüchse, Füchse und Dunkelfüchse. Ein Sommerrappe ist ein Pferd, das im Sommer tiefschwarz erscheint, dessen Winterfell aber einen Stich ins Braune hat. Sind im dunklen Fell einzelne weiße Haare zu sehen, nennt man das stichelhaarig. Die Schimmel (die übrigens alle dunkel geboren werden und sich von Haarwechsel zu Haarwechsel heller färben) können fuchsfarbene, braune oder schwarze „Fliegenflecke“ oder „Äpfelung“ zeigen, ebenso dunklere Mähne, Beine oder Hufe.

Abzeichen nennt man die hellen Partien am Kopf (Stirn und Maul) und an den Beinen, siehe Bild 2. Diese Farben und Abzeichen gelten ebenso für die Beschreibung der Kleinpferde und Ponys, die sich in den letzten Jahren als Reitpferde auch für Erwachsene immer mehr eingebürgert haben.

Ein Reitpferd hat eine *Schulterhöhe* (Widerristhöhe, Stockmaß) von 1,60 bis 1,75 m. Etwa ebensoviel mißt es von der Brust bis zur Hinterbacke. Ausgewachsen wiegt es 550 bis 750 kg. Stuten sind länger gebaut, Hengste gedrungener, quadratisch. Der Körperbau des Wallachs ist hochrechteckig.

Das Verhältnis von Gewicht zu Widerristhöhe heißt *Kaliber* (kg/cm). Man errechnet es nach der Formel: Gewicht (in kg) : Widerristhöhe (in cm) = Kaliber. Das Kaliber eines Oldenburger Hengstes kann zum Beispiel 4,65 sein, das einer Ostpreußischen Stute 3,5. Wie man die wichtigsten Körperteile des Pferdes sachgemäß benennt, steht in Bild 4 und 5.

Die vordere Hälfte des Pferdes heißt *Vorhand,* die hintere *Hinterhand.* (Mittelhand gibt es, soviel ich weiß, nur beim Skat, und Rückhand beim Tennis.)

Im Gegensatz zu dem gehässigen Ausspruch am Anfang halte ich

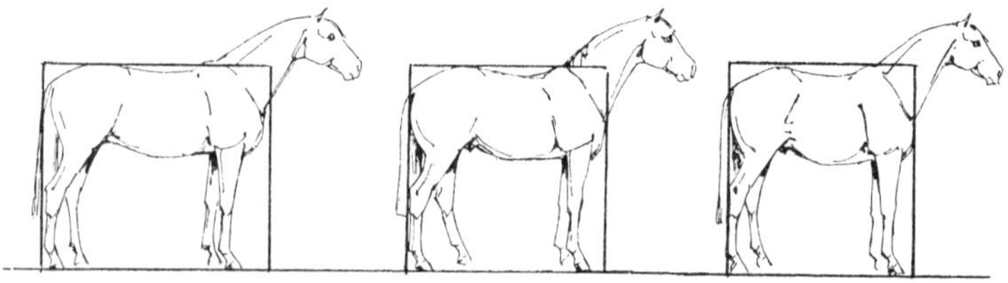

Bild 3. Das Format von Stute (langrechteckig), Hengst (quadratisch) und Wallach (hochrechteckig)

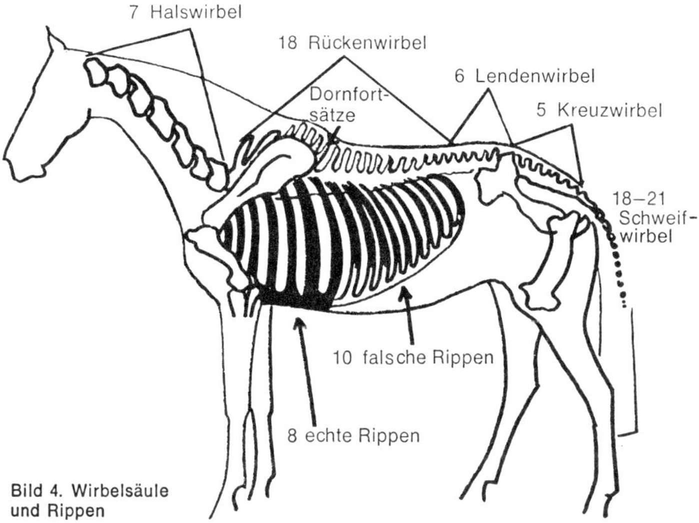

Bild 4. Wirbelsäule und Rippen

das Pferd für ein ausgesprochen *gutmütiges* Geschöpf. Bereitwillig stellt es uns seine Kraft, Schnelligkeit und Ausdauer zur Verfügung. Es reagiert recht gut auf Lob und Tadel und ist im Prinzip durchaus bereit, seinem Reiter zu gehorchen. Was freilich voraussetzt, daß der Reiter seinem Pferd auch eindeutig klarmachen kann, was es tun soll! Doch davon später.

Natürlich gibt es auch ausgesprochen bösartige Rösser, die beißen und schlagen und ihren Reiter geradezu vorsätzlich ärgern. Aber die sind wirklich in der Minderzahl. Schon weil man solche Viecher lieber beizeiten an den Pferdemetzger verkauft, bevor sie größeres Unheil angerichtet haben. Viele Pferde allerdings sind schreckhaft: Sie scheuen vor einem Stück weißem Papier im Wald oder einer plötzlichen, unverhofften Bewegung und suchen dann als gute Steppenbewohner ihr Heil in der Flucht — sie gehen durch oder sie schlagen aus. Im großen und ganzen liegen meiner Erfahrung nach also meist „Verständigungsschwierigkeiten“ vor, wenn ein Pferd widerspenstig oder bockig erscheint. Doch vielleicht ist es ja ebendiese Tendenz, vor Unangenehmem davonzulaufen, die das Pferd zum Reittier geeignet macht: Auch die erste Reaktion eines jungen Pferdes unter einem Reiter ist Flucht. Ein Löwe würde beißen.

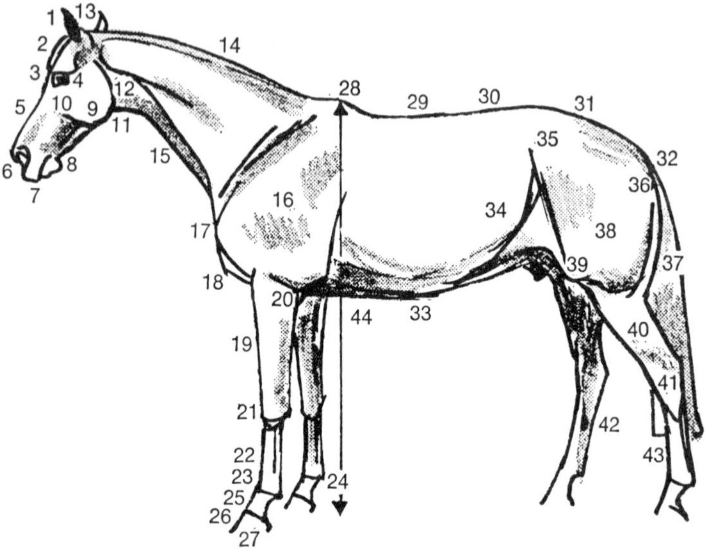

Bild 5. Die Körperteile

1 Ohren
2 Schopf
3 Stirn
4 Auge
5 Nasenrücken
6 Nüster
7 Maul
8 Kinnkettengrube
9 Backe
10 Jochleiste
11 Kehle
12 Ganasche
13 Genick
14 Mähnenkamm
15 Drosselrinne
16 Schulter
17 Bugspitze
18 Brust
19 Unterarm
20 Ellbogenhöcker
21 Vorderfußwurzelgelenk
22 Vordermittelfuß (Vorderröhre)
23 Fesselkopf
24 Kötenzopf
25 Fessel
26 Hufkrone
27 Huf
28 Widerrist
29 Rücken
30 Lende
31 Kruppe
32 Schweifrübe
33 Bauch
34 Flanke
35 Hüfte
36 Sitzbeinhöcker
37 Hinterbacke
38 Oberschenkel
39 Knie
40 Unterschenkel
41 Sprunggelenk
42 Kastanie
43 Hintermittelfuß (Hinterröhre)
44 Stockmaß (Widerristhöhe)

Kosten

Wenn Sie Glück haben, bekommen Sie ein junges Pferd ordentlicher Abstammung schon für DM 3000. Hat es besonders qualifizierte Ahnen oder ist ein Pferd schon gut zugeritten, dann ist auch der zehnfache Preis möglich, vielleicht sogar noch mehr. Sie sehen, Pferde sind eine Liebhaberei! Immerhin, unter Umständen können

Sie schon für DM 5000 ein recht passables Pferd bekommen. Auch wenn Sie kein Pferd kaufen wollen: Gehen Sie einmal zum *Pferdemarkt* und lassen Sie dieses schöne Bild auf sich wirken. Doch wenn es dann eines Tages ernst wird, dann lassen Sie sich bitte von einem zuverlässigen Fachmann beim Kauf beraten. Gute Pferde werden übrigens selten auf den ländlichen Pferdemärkten, sondern auf besonderen Auktionen gehandelt. Ort und Termine erfahren Sie von der Deutschen Reiterlichen Vereinigung, 441 Warendorf.
Stellen Sie Ihr *eigenes Pferd* in einem Reitstall unter, dann müssen Sie für *„Kost und Logis"* im Monat mit 200,— bis DM 500,— rechnen. Für den Tierarzt sollten Sie pro Jahr etwa DM 250,— einsetzen, für den Schmied etwa DM 500,—.
Außerdem brauchen Sie noch einen Sattel (neu DM 600,— bis DM 800,—), Trense und Stallhalfter (zusammen etwa DM 150,—) und sonst noch so allerlei Kleinkram zur Pferdepflege (siehe Seite 129).
Billiger wird die Sache, wenn Sie sich mit einem anderen Reiter in ein Pferd teilen. Die Konsequenz ist natürlich, daß Sie dann nicht mehr frei bestimmen können, wann Sie reiten wollen, und auch sonst kann es Meinungsverschiedenheiten geben. Sie sollten Ihren Partner also gut kennen, auch in bezug auf seine reiterlichen Fähigkeiten und sein Temperament.
Aber zunächst ist das noch Zukunftsmusik. Aller Voraussicht nach werden Sie Ihren Reiterstart auf einem *Mietpferd* erleben. Sicher, auf einem eigenen Pferd macht es den meisten Spaß. Pferd und Reiter können sich so auch am besten aufeinander einstellen. Aber gerade der Anfänger sollte immer wieder ein anderes Pferd reiten, denn alle reagieren verschieden. Und Sie wollen ja ganz allgemein reiten lernen, nicht nur *ein* Pferd. Daß Sie Ihre Grundkenntnisse auf einem der leidgeprüften Schulpferde erwerben, hat auch noch einen anderen Sinn. Ein gut zugerittenes Pferd, das also nur ganz geringe „Hilfen" braucht (was das ist, lesen Sie später), ein solches Pferd würde nur verwirrt, ja auf die Dauer verdorben, setzte man einen Neuling auf seinen Rücken. Es ist deswegen keine Bosheit des Reitlehrers, wenn er Ihnen zu Anfang nicht gleich die Auswahl unter den am höchsten qualifizierten Pferden läßt, sondern Ihnen ein Pferd zuteilt, das Ihre anfängliche Unsicherheit, Ihre hämmernden Fäuste und tanzenden Unterschenkel gelassen erträgt. Sehen

Sie die Geschichte auch einmal aus seiner, aus des Pferdes Perspektive. Aber ich greife schon wieder vor.
Befreunden Sie sich also zunächst mit einem Mietpferd. Erkundigen Sie sich nach den *Reitschulen* in Ihrer Umgebung, erleben Sie als Zuschauer ein paar Stunden (für Anfänger und für Fortgeschrittene), fragen Sie ungeniert nach den Kosten — und dann entscheiden Sie sich. Unter Umständen lohnt sich ein weiterer Anmarschweg, wenn Ihnen der Ton in der Reitschule dort mehr zusagt.
Dabei denke ich noch nicht einmal so sehr daran, mit welcher Lautstärke der Mann in der Mitte der Bahn seine Abteilung kritisiert. Manchmal muß man einen Reiter, der da oben mit seinen Körperteilen und den Bewegungen des Pferdes kämpft, nämlich schon ein bißchen rauher ansprechen als zu Fuß. Sonst kommt man als Reitlehrer nicht „durch". Wichtiger ist, daß sich der Reitlehrer um *alle* kümmert und daß er weniger tadelt als verbessert.
Eine *Reitstunde* kostet je nach Ort und nach der Qualität des Pferdes zwischen DM 10,— und DM 20,—. Dazu kommt das „Sattelgeld", das Trinkgeld für den Pferdepfleger. Auch der Reitlehrer kann etwas extra kosten, und wenn es nur ab und zu eine Flasche Kirschwasser ist.
Noch etwas: Montag ist fast überall „Ruhetag", Pferdestehtag.

Der Reiter

Reitunterricht kann man schon mit zehn oder zwölf Jahren nehmen. Es gibt sogar noch wesentlich jüngere Kinder, die recht anständig auf einem Pferd, eher noch auf einem Pony, sitzen. Wer viel älter ist als 35, ist nach meinen Beobachtungen oft schon etwas zu steif, um gute Fortschritte zu machen. Aber es gibt auch da Ausnahmen. Doch vor allem: Wer erst einmal reiten gelernt hat, kann diesen Sport bis ins hohe Alter fortsetzen.

Für Kinder und junge Leute ist *Voltigieren* eine ausgezeichnete Vorübung, denn bei diesen „Turnübungen" auf und an dem Pferd, das der Reitlehrer an der Longe (einer etwa 8 Meter langen Leine) im Kreis führt, gewinnt man eine Vertrautheit mit dem Pferd und seinen Bewegungen wie sonst kaum.

Ohne diese Vorstufe brauchen Sie mindestens zwanzig bis dreißig Reitstunden, bis Sie „aus dem Gröbsten 'raus" sind, bis Sie also das Pferd in den drei Gangarten Schritt, Trab und Galopp dahin dirigieren können, wohin Sie wollen. Das dauert bei einer Stunde pro Woche etwa ein halbes Jahr. Dabei will ich gleich erwähnen, daß das für den Anfänger nach meiner Meinung zu wenig ist. Er sollte zunächst 2—3 Stunden in der Woche nehmen, bis sich Seele und Sitzfleisch auf die neuen Erfahrungen eingestellt haben.

Wesentlich raschere Fortschritte werden Sie machen, wenn Sie etwa drei Wochen lang in einem Gestüt, einer Reitschule oder einer ähnlichen Institution verbringen können, wo Sie wirklich jeden Tag mehrere Stunden im Sattel sitzen. Das läßt sich zum Beispiel mit einem Urlaub kombinieren und ist, gemessen am Erfolg, sogar ausgesprochen rentabel.

Zu Anfang wird Sie das *Reitweh* plagen, vor allem in den Muskeln, die innen am Oberschenkel verlaufen. Ein Gegenmittel? Gleich am nächsten Tag wieder in den Sattel, siehe oben. Angeblich hilft auch, wenn man vor der Reitstunde eine Vitamin-C-Brausetablette nimmt und eine halbe nach der Stunde. Und wenn Sie sich einmal *aufgeritten* haben, nehmen Sie ein kühles Sitzbad, das alte Hausmittel Hirschtalg (gibt's in der Apotheke) oder — einfacher — eine Babycreme gegen Wundsein. Leute mit sehr empfindlicher Haut können diese damit auch vorbeugend behandeln. Auch eine dünne Polsterschicht (Watte) in der innersten Hose soll sich bewährt haben. Aber sie darf sich nicht verschieben.

Nach zwei oder drei Jahren sollten Sie so weit gediehen sein, daß Sie das *Reiterabzeichen* in Bronze erwerben können. Weiter lernen werden Sie Ihr ganzes Leben. Ziel aller Reitkunst ist die ungezwungene, wie selbstverständlich erscheinende Harmonie zwischen Reiter und Pferd.

Dabei werden Sie Ihre Fähigkeiten auf drei Gebieten ausbilden: *Dressur, Geländereiten und Springen.* Die Dressur steht am Anfang, denn schon die ersten Schritte, die das Pferd mit Ihnen auf dem Rücken macht, gehören dazu. Wobei man anfangs nicht so genau weiß, wer wem etwas beibringt. Dressur in Vollendung ist die Hohe Schule. — Ausreiten macht vielen Leuten mehr Spaß als die Dressurarbeit in der Reithalle oder im Viereck des Reitplatzes im Freien. Dafür spüren Sie bei der Dressur Ihre Fortschritte am deutlichsten. — Schon bald werden Sie auch über kleine Hindernisse springen; anfangs sind sie 50 oder 60 cm hoch, später trauen Sie sich ohne weiteres auch über Stangen in 1 oder 1,20 m Höhe.

Die Ausrüstung des Reiters

Wenn Sie nicht ausgerechnet im feudalsten Verein anfangen, können Sie Ihre ersten Versuche auf dem Pferd auch in Blue jeans und Halbschuhen absolvieren. Denn es könnte ja sein, daß Ihre Begeisterung wieder erlischt — und *Reithosen und Stiefel,* die nutzlos im Schrank liegen, haben so etwas Vorwurfsvolles. Aber wenn es Ihnen ernst ist mit dem Reitenlernen, sollten Sie sich eine stabile Reithose und lange Stiefel zulegen. Es gibt gute fertige Reithosen, nur passen müssen sie, und zwar, wenn Sie im Sattel sitzen! Der schneidigste Eindruck im Ladenspiegel hilft Ihnen nichts, wenn Ihre Hose Sie hoch zu Roß klemmt oder Falten an der falschen Stelle wirft, an denen Sie sich aufscheuern. Bei einer nach Maß gearbeiteten Hose sind Sie noch sicherer, daß sie paßt — vorausgesetzt, Ihr Schneider versteht etwas davon, wie eine Reithose gebaut sein muß. Heute sind Reithosen immer aus Helanca oder einem ähnlich dehnbaren Stoff. Deshalb passen Konfektionshosen mit viel größerer Wahrscheinlichkeit als zu Zeiten, als man sie aus „harten“ Tuchen schneiderte. Der lederne Reitbesatz ist weniger Statussymbol, seine rauhe Oberfläche schafft eine bessere Verbindung zwischen Ihrer Sitzfläche und dem Sattel. (Daß er außerdem den Hosenstoff schützt, ist durch die synthetischen Gewebe weniger wichtig geworden.) Deswegen sollte er auch an den Knien vorbei bis in die Stiefelschäfte reichen. Samt einem großen Besatz kostet eine Reithose etwa DM 150,— bis 200,—.

Reitstiefel müssen gut passen. Nehmen Sie sie nicht zu klein, sonst können Sie im Winter niemals dickere Strümpfe anziehen. Keine zu dicken Sohlen, sonst fühlen Sie die Steigbügel nicht richtig. Ob harte oder weiche Schäfte besser sind, ist schon fast eine Glaubensfrage. Jedenfalls bekommen Sie für DM 200,— schon recht anständige „Langschäfter“. Wichtig ist, daß die Kappen hinten an den Stiefeln hoch genug gebaut sind und die Schäfte fast bis in Ihre Kniekehlen reichen. Es gibt auch Gummistiefel, die fast wie lederne aussehen. Sie sind viel billiger und brauchen auch nicht mit soviel Liebe gewichst zu werden. Man kann sie sogar nach Maß bestellen. Dann kosten sie um die 70 Mark, als Konfektionsware sind sie 20 Mark billiger. Halten Sie mich ruhig für altmodisch: ich bin für Leder.

Eine vor allem von Damen immer wieder bevorzugte Alternative ist die aus Indien stammende *Jodhpur-Hose,* eine eng geschnittene, lange Hose, zu der man kurze Jodhpurstiefel trägt, deren Schaft etwa 15 cm die Wade hinaufreicht und oben von einem Riemen umschlossen ist. (Bitte keine Halbschuhe zur Jodhpurhose!)

Für den Alltag genügen Hemd und Pullover zu einer zum Beispiel beigen Reithose. Für Prüfungen, Wettkämpfe oder ähnliche offiziellere Anlässe werden eine weiße oder beige Hose, Stiefel und ein schwarzer Reitrock verlangt; dazu weißes Hemd, weiße Krawatte oder Plastron und weiße Handschuhe sowie eine schwarze Jagdmütze. Wo Jagden geritten werden, gehört eigentlich ein roter Reitrock her. — Daß diese Kleiderordnung in ländlichen Reitervereinen im allgemeinen legerer gehandhabt wird als im feinsten Reiterclub einer Metropole, liegt auf der Hand.

Was Sie sonst noch brauchen: eine *Reitgerte,* besser deren zwei; nämlich eine lange für die Dressur und eine kürzere fürs Springen

und fürs Geländereiten. *Sporen* brauchen Sie noch nicht. Dazu sind Ihre Beine vorläufig noch viel zu unruhig.
Wenn es dann einmal soweit ist, wählen Sie welche aus verchromtem Messing (eiserne rosten und sterben sowieso aus). Die Dornen an dem kleinen Rädchen schleifen Sie bitte an einem Steinbrocken stumpfer, damit Sie das Pferd nicht verletzen. Oder Sie nehmen überhaupt Sporen ohne solche dornigen Rädchen. Und die Riemen fädeln Sie so ein, daß die Sporen nach unten weisen und daß die Schnallen seitlich außen am Fuß sitzen. An Zugstiefeln oder Jodhpurs werden Anschlagsporen befestigt.

	tägliches Training	Material- und Eignungsprüfungen	Springprüfung A und L, Ausritt	Springprüfung M und S, Jagden
Hose	farbige Breeches oder Jodhpur	weiße Breeches, Damen: auch hellbeige	weiße Breeches, zum Ausritt auch farbige Breeches oder Jodhpur	weiße Breeches
Rock	Reitsakko uni oder gemustert, auch Sporthemd oder Pullover	Reitsakko schwarz oder gemustert	Reitsakko schwarz, uni oder gemustert	Herren: roter Rock Damen: schwarzer Rock
Weste	kariert oder uni	uni	kariert oder uni hell	kariert, hell
Hemd	weiß oder farbig	weiß	weiß	weiß
Krawatte	Langbinder, uni oder gemustert	Langbinder weiß	Langbinder weiß oder Plastron weiß	Plastron weiß
Kopf-bedeckung	Sportmütze	Herren: Jagdkappe oder Bowler, Damen: auch Zylinder	Jagdkappe oder Bowler	Jagdkappe Damen: auch Zylinder
Stiefel	schwarz oder braun bzw. Jodhpur-Stiefel	schwarz, zu gemustertem Sakko auch braun	schwarz bzw. Jodhpur-Stiefel	schwarz, zum roten Reitrock auch Stulpenstiefel
Hand-schuhe	beliebig	helles Wasch-, Wild- oder Schweinsleder, weiße Strickhandschuhe		

Satteln und Trensen

Wohlausgerüstet betreten Sie jetzt den *Stall.* Der Mittelgang heißt „Stallgasse". Meist stehen hier schon ein paar Pferde, die gerade gesattelt werden oder dergleichen. Denken Sie daran: Pferde sind schreckhaft. Vermeiden Sie hastige Bewegungen. Gehen Sie nach Möglichkeit vorn an ihnen vorbei; hinten nur in geziemendem Abstand oder wenn Sie das betreffende Pferd durch einen lauten Zuruf aufmerksam gemacht haben. Es wird glaubhaft versichert, kein Pferd könne ausschlagen, dem man den Schweif kräftig nach unten zieht. Ich hab's noch nicht ausprobiert.

Die Pferde stehen entweder in *Ständern,* die zur Stallgasse hin offen und durch Zwischenwände (Flankierwände) oder auch nur durch Flankierbäume voneinander getrennt sind. Die Pferde tragen ein Stallhalfter und sind damit angebunden. Oder sie stehen in *Boxen.* Die brauchen mehr Platz, dafür können sich Pferde in ihnen frei bewegen.

Über der Box oder dem Ständer oder an der Boxentür sehen Sie ein *Namensschild.* Darauf steht der Name des Pferdes, eventuell sein Geburtsdatum und manchmal die Abstammung. Dabei bedeutet „von" den Vater und „aus" die Mutter, also zum Beispiel „Aldebaran *15. 3. 1965 von Abendstern aus Monika".

Jedes Pferd hat seinen *Sattel,* der auf seinen Körper abgestimmt, und sein *Zaumzeug,* das den Maßen seines Kopfes angepaßt ist. Diese Dinge sollten eigentlich nicht im Stall selbst, sondern in der Sattelkammer hängen (tun es aber nach meinen Beobachtungen doch oft). Die Stalluft bekommt dem Lederzeug nämlich nicht sonderlich gut; außerdem besteht im Stall die Gefahr, daß sich einmal ein Pferd losmacht und dann etwas herunterreißt.

Sattel

Die Sättel werden dem Pferd genau angepaßt. Nur so lassen sich Druckstellen vermeiden. Sie müssen sich also vergewissern, daß

der Sattel, den Sie auflegen wollen, auch wirklich zu dem betreffenden Pferd gehört. Unter dem Sattel liegt zum Aufsaugen des Schweißes ein Filz. Besser ist eine dünne Wolldecke, der Woilach. Aber er ist mühsamer zu handhaben als der meist schon am Sattel festgeschnallte Filz und deswegen völlig aus der Mode gekommen. Er mußte dreifach exakt gefaltet und so aufgelegt werden, daß seine „offenen“ Seiten nach links und hinten gerichtet waren. Nach dem Auflegen des Sattels zog man den Woilach noch etwas in die Kammer des Sattels hinein. Wobei hier mit Sattelkammer die Höhlung vorn zwischen den Sattelpolstern gemeint ist, also da, wo das Rückgrat des Pferdes verläuft.
Wenn die Sättel an den Pfosten zwischen den Ständern hängen, gehört der Sattel zu dem Pferd im Ständer links daneben. Unter dem Sattel hängt die Trense. Man unterscheidet Dressursattel,

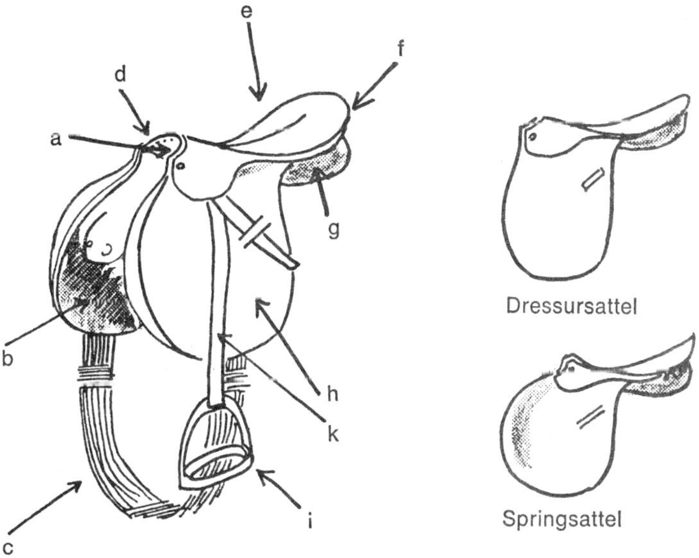

Bild 6. Die Teile des Vielseitigkeitssattels. Unter dem Sattelblatt liegen die Pauschen und die drei Gurtstrippen. Daneben sind zum Vergleich ein Dressursattel (gerade geschnittene Sattelblätter, ganz schwache Pauschen) und ein Springsattel (weit vorgebaut, starke Pauschen) abgebildet.

a Sattelkammer
b Schweißblatt
c Sattelgurt
d Vorderzwiesel
e Sitzfläche
f Hinterzwiesel
g Sattelpolster
h Sattelblatt
i Steigbügel
k Steigbügelriemen

Vielseitigkeitssattel und Springsattel. Lassen Sie sich im Stall bzw. in der Sattelkammer die Unterschiede im einzelnen erläutern: Der Dressursattel hat fast gerade geschnittene *Sattelblätter*, beim Springsattel sind sie weit vorgebaut und gepolstert. Dressur reitet man mit langen Bügeln, beim Springen sind sie kürzer geschnallt. Entsprechend ist die Lage des Knies verschieden. Dem Springreiter geben die Sattelpauschen Halt, der Dressurreiter braucht sie nicht. Der Vielseitigkeitssattel ist ein Kompromiß zwischen beiden und wird am häufigsten verwendet. Was Pauschen sind und wie die anderen Teile des Sattels heißen, sehen Sie auf Seite 23.

Zaumzeug

Genaugenommen nennt man *Trense* nur das Metallstück, das dem Pferd ins Maul geschoben wird. Man bezeichnet aber auch den ganzen Zaum so, also einschließlich Kopfstück und Zügel. Der

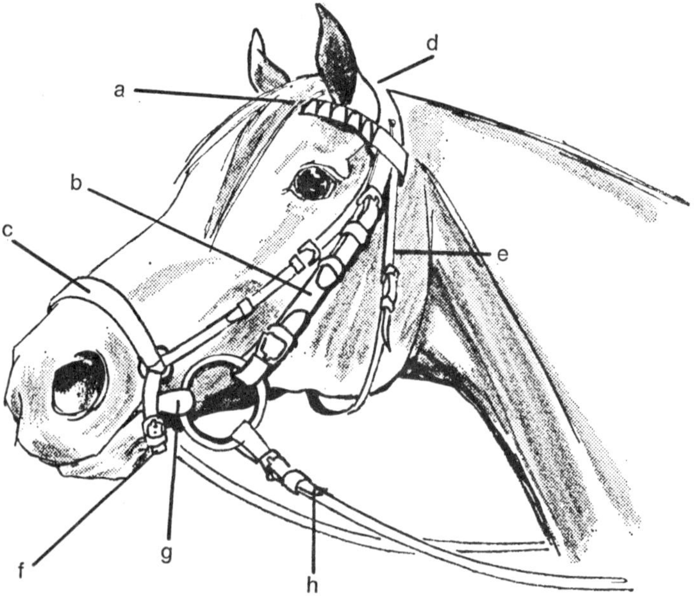

Bild 7. Zäumung auf Trense

a Stirnriemen
b Backenstück
c Nasenriemen
d Genickstück
e Kehlriemen
f Kinnriemen
g Trensengebiß
h Zügel

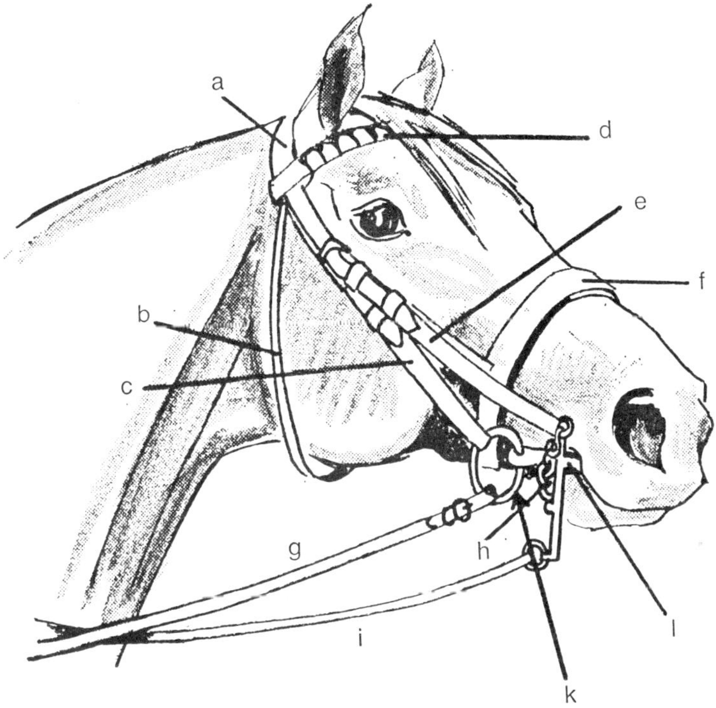

Bild 8. Zäumung auf Kandare

a Genickstück
b Kehlriemen
c Trensenbackenstück
d Stirnriemen
e Kandarenbackenstück
f Nasenriemen
g Trensenzügel
h Kinnkette
i Kandarenzügel
k Unterlegtrense
l Kandarengebiß mit Haken für die Kinnkette

Fachausdruck für Ihren Trensenzaum heißt „Hannoversches Reithalfter“, denn es wurde von der Kavallerieschule Hannover eingeführt. Außerdem gibt es das „Englische Reithalfter“. Bei ihm liegt der Nasenriemen eine gute Handbreit höher, er läuft also oberhalb des Trensengebisses um den Pferdekopf. Das „Mexikanische Reithalfter“ hat einen doppelten Nasenriemen, der sich auf dem Nasenrücken kreuzt: Der eine verläuft ähnlich wie beim Englischen Reithalfter oberhalb des Trensengebisses, der andere darunter wie beim Hannoverschen.
Die andere Zäumung ist die auf *Kandare*. Mit ihr kann der Reiter

noch wesentlich nachdrücklicher auf das Pferdemaul einwirken. Für Sie hat die Kandare, die immer zusätzlich zu einer Trense verwandt wird (der Reiter führt also zwei Paar Zügel), zunächst nur theoretische Bedeutung. Auf Bild 8 sehen Sie genau, wie eine Zäumung auf Kandare aussieht. Wirkt die Trense auf die Mundwinkel, so klemmt man mit der Kandare dem Pferd den Unterkiefer zusammen. Es reagiert entsprechend bereitwilliger — aber deswegen bekommt man die Kandare erst dann anvertraut, wenn Sitz und Zügelfäuste ruhig geworden sind und sich ein Grundmaß an reiterlichem Gefühl entwickelt hat.

Satteln und Trensen im einzelnen

Man hat Ihnen inzwischen gesagt, welches Pferd Sie reiten sollen. Vielleicht ist es schon mit Sattel und Trense ausgerüstet, und Sie brauchen es nur abzuholen. Vielleicht sollen Sie das Pferd aber gleich selbst satteln und trensen (manche sagen: auftrensen). Lernen sollten Sie das auf alle Fälle. Sonst wird später einmal ein Pferd Ihre Reitkünste von vornherein recht mißtrauisch betrachten, wenn Sie zunächst einigermaßen hilflos mit all dem Riemenzeug herumfummeln. Lassen Sie sich's von einem Mitreiter zeigen; wenn die Zeit vor der Stunde nicht mehr reicht, dann hinterher. Und versuchen Sie es anschließend selbst gleich ein paarmal hintereinander. Anfänger-Pferde wundern sich nicht weiter darüber.
Bevor Sie aber in den Ständer treten oder die Tür zur Box aufmachen, rufen Sie Ihr Pferd an, sprechen Sie mit ihm. Es soll nicht erschrecken! Auch ruhige Pferde können hinten recht gefährlich sein. Veranlassen Sie es, etwas nach rechts zu treten, damit Sie an seine linke Seite kommen. Dazu genügt u. U. schon das Anrufen, sonst ein herzhafter Klaps auf die Kruppe oder ein Puff mit dem Ellenbogen. Seien Sie nicht zaghaft, sonst nimmt Sie Ihr Pferd von Anfang an nicht ernst! Aber: vergessen Sie auf keinen Fall, das Pferd anzurufen, bevor Sie hinter oder neben es treten. Rufen Sie seinen Namen oder einfach „Ho-la“.
Ob man zuerst sattelt oder trenst, darüber gehen die Ansichten auseinander. Im allgemeinen geschieht beides im Ständer bzw. in der Box. Da ist es einfacher, mit dem Satteln zu beginnen, denn das geht auch, wenn Sie dabei das Zaumzeug über dem linken Unter-

arm hängen haben. Bei der umgekehrten Reihenfolge müßten Sie Ihr Pferd nach dem Trensen wieder anbinden und dann den Sattel holen. Soll auf der Stallgasse gesattelt werden, müssen Sie natürlich mit dem Auftrensen beginnen. Am besten schauen Sie, wie es die anderen machen.

Beginnen wir also mit dem Satteln. Sie hängen sich die Trense über den linken Arm und ebenso den Sattel (Sattelkammer in der Beuge des Ellenbogens, Gurt übergeschlagen). Treten Sie links neben Ihr Pferd (vorher anrufen! in der Box die Tür zumachen!), tätscheln Sie ihm den Hals und reden ihm gut zu. Dann legen Sie den Sattel auf. (Bitte nicht auf das Pferd fallen lassen.) Man legt den Sattel etwas zu weit vorn auf und schiebt ihn dann zurück, damit das Fell glatt liegt. Der Sattel muß allseitig gut aufliegen und so, daß der tiefste Punkt der Sitzfläche in seinem vorderen Drittel liegt.

Der Sattelgurt ist beim Auflegen noch über die Sattelfläche geschlagen. Schieben Sie ihn nach rechts hinunter, ziehen Sie ihn unter dem Pferdebauch durch und schnallen Sie ihn an den beiden äußeren Sattelstrippen fest. Die mittlere bleibt als Reserve frei. Vorsicht, der Gurt darf nicht verdreht sein, und Sie sollten (im Ständer) nicht versuchen, den Flankierbaum mit einzuschnallen. Zwischen Ellbogengelenk und Gurt sollte eine Handbreit Zwischenraum sein. Ist dieser Abstand zu klein, stört der Gurt das Pferd in der Bewegung. Ist er zu groß, liegt der Sattel zu weit hinten, was Ihrem Sitz schlecht bekommt und das Pferd ermüdet. Ziehen Sie die Gurten nicht zu stramm an; das hat noch Zeit bis zum Nachsatteln, bevor Sie aufsitzen. Jetzt prüfen Sie noch, ob der Filz auch auf der rechten Seite glatt unter dem Gurt liegt.

Nächster Schritt ist das Trensen. Dazu nehmen Sie das Stallhalfter ab und legen es über die Futterkrippe. Legen Sie dem Pferd die Zügel (richtig 'rum!) über den Hals. Daran können Sie es nämlich notfalls eher festhalten als an der Mähne. Jetzt stellen Sie sich parallel zu Ihrem Pferd, also mit Blickrichtung auf die Krippe. Fassen Sie mit der rechten Hand Kopfstück und Nasenriemen und greifen Sie damit von unten rechts über den Nasenrücken Ihres Pferdes. Bevor Ihre rechte Hand das Kopfstück über die Ohren zieht, müssen Sie mit der linken das Gebiß, die Trense, dem Pferd zwischen die Zähne praktizieren. Macht das Pferd sein Maul dazu nicht von selbst auf, schieben Sie ihm den linken Daumen in seinen linken „Mundwinkel". Will das Pferd mit dem Kopf nach oben ausweichen, so müssen Sie diesen mit der rechten Hand nach unten ziehen.

Die Beschreibung des Trensens liest sich komplizierter, als es in Wirklichkeit ist. Lassen Sie sich's, wie gesagt, vormachen und üben Sie es. Sie müssen das mit geschlossenen Augen können! Den Kehlriemen schnallt man so weit zu, daß man noch eine Faust aufrecht zwischen ihn und die Kehle stecken kann. Unter dem Kinnriemen bzw. Nasenriemen sollen noch zwei Finger übereinander Platz haben. Sie können an den Riemen meist sehen, welches die „richtigen" Löcher sind.

Trensen Sie so vorsichtig und ruhig auf, daß Sie Ihrem Pferd nicht wehtun, aber zugleich so bestimmt, daß es merkt, Widerstand ist zwecklos. Ist das Zaumzeug „droben" und alle Riemen zu, dann loben Sie das Pferd. Je freundlicher seine Erinnerungen an diesen — vom Pferd her gesehen — unfreundlichen Akt sind, desto williger wird es sich trensen lassen! Und jetzt überprüfen Sie bitte: Laufen Nasen- und Kinnriemen wie ein Ring vor dem Trensengebiß um das Pferdemaul, schauen beide Ohren und der Stirnschopf zwischen Nackenstück und Stirnriemen heraus?

Jedes Pferd hat seine eigene Trense. Falls die Trense neu ist oder böse Menschen sie verschnallt haben, sollten Sie immerhin folgendes wissen. Der Nasenriemen soll etwa vier Finger breit über dem oberen Rand der Nüstern liegen. Wichtiger ist: Das Backenstück muß so lang geschnallt sein, daß das Trensengebiß weder die Lefzen hochzieht, noch die Hakenzähne berührt. Wenn Sie die Lefzen hochschieben, sehen Sie die breite Zahnlücke zwischen den Schneidezähnen (Zangen) und den Backenzähnen. Dazwischen liegt bei Hengst und Wallach der zitierte Hakenzahn (Stuten haben im allgemeinen keine Hakenzähne). Stirnriemen, Nasenriemen und Gebiß sind übrigens die einzigen unveränderlichen Teile des Zaums. Sie müssen auf die Maße des Pferdekopfes abgestimmt sein. Alles andere ist zu verstellen.

Schauen Sie sich auch gleich die Krippe (da kommt der Hafer hinein) an, den Tränkapparat und die Futterraufe für das Heu („Rauhfutter"). Mehr darüber finden Sie auf Seite 132.

Wenn Sie Ihr Pferd auf die Stallgasse führen, so achten Sie bitte darauf, daß es nicht seine halbe Streu an den Hufen mit herauszieht. Und auch in der Mähne und im Schweif darf kein Strohhalm hängenbleiben. Als die Bräuche noch strenger waren, mußte eine Runde Schnaps zahlen, wer solcherart Stroh in die Reithalle brachte. In dem engen Ständer lassen sich manche Pferde nur schwer umdrehen. Das geht leichter, wenn Sie den Sattelgurt zuerst ganz lose zuschnallen. Jedenfalls sollte das Pferd nicht rückwärts auf die Stallgasse treten. Falls generell auf der Stallgasse gesattelt wird, trensen Sie zuerst auf, führen das Pferd heraus und binden es fest. Knoten Sie zum *Anbinden* nicht einfach die Zügel um den nächstbesten Gitterstab, sonst nagt der Bewohner dieser Box sie an. Haken Sie statt dessen eine der karabinerbewehrten Leinen oder Knebelketten, die da hängen, in den Trensenring.

Kein Pferd liebt es besonders, gesattelt zu werden. Das eine oder andere läßt sich das sogar anmerken: Es versucht, seinen mit Satteln voll beschäftigten Reiter verstohlen ins Hinterteil zu zwicken. Das beste Mittel dagegen ist aufmerksam zu bleiben und den Kopf des Pferdes freundlich aber bestimmt zurückzuschieben, sooft es sich mit entblößten Zähnen tatenfroh nach Ihnen umsieht. Jedenfalls halte ich auf die Dauer von dieser Methode mehr als von Anschreien oder Schlagen.

Tritt Ihr Pferd Ihnen mal auf den Fuß, so hat es das nie mit

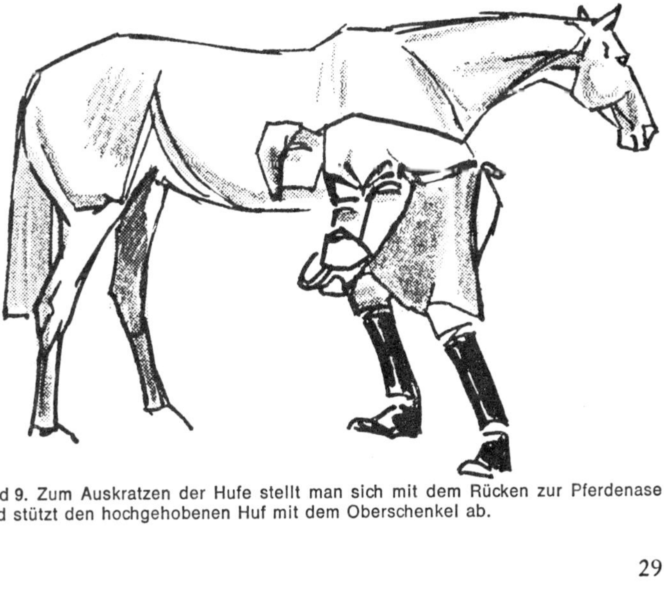

Bild 9. Zum Auskratzen der Hufe stellt man sich mit dem Rücken zur Pferdenase und stützt den hochgehobenen Huf mit dem Oberschenkel ab.

Absicht getan, sondern Sie haben sich an die falsche Stelle gestellt. Veranlassen Sie das Roß mit einem kräftigen Puff, sein Standbein zu wechseln. Mehr nicht.
Die *Hufe* sollten Sie vor der Stunde noch *saubermachen,* also mit einem Hufkratzer auskratzen. Es ist nicht schwierig — lassen Sie sich's zeigen: Pferd anbinden; mit Blick zum Schweif neben ein Bein treten und mit der Hand daran hinunterstreichen. Daraufhin oder auf den Zuruf „Fuß" hebt das Pferd den Huf. Stützen Sie ihn mit dem inneren Knie, dann können Sie seine Unterseite saubermachen. Je kräftiger Sie den Huf nach oben und hinten biegen, desto weniger vermag das Pferd seinen Huf wegzuziehen. Reihenfolge: links vorn, links hinten, rechts hinten, rechts vorn; und danach: loben!

Hilfszügel

In diesen Zusammenhang gehören noch einige den Zügeln verwandte Hilfsmittel: *Ausbinder* sind Riemen, die vom Sattelgurt zum Trensenring führen. Sie halten den Pferdekopf in der richtigen Stellung. Gerade beim Anfänger bindet man das Pferd oft aus, weil er noch nicht so gut mit den Zügeln umgehen kann wie der geübte Reiter. Ähnlich wirkt der *Stoßzügel.* Er besteht nur aus einem Riemen, der zwischen den Vorderbeinen hindurchläuft. Sein eines Ende ist wieder am Sattelgurt befestigt, sein anderes wird mit den Trensenringen verschnallt. Das *Martingal* besteht aus einem ähnlichen Riemen. Er teilt sich aber schon vor der Brust des Pferdes und endet in zwei Ringen, durch die man die Zügel hindurchlaufen läßt. Das Martingal soll in erster Linie verhindern, daß das Pferd mit dem Kopf nach oben schlägt. *Schlaufzügel* schließlich sind lange Riemen, deren eines Ende ähnlich wie ein Ausbinder am Sattelgurt befestigt wird und von da durch den Trensenring zur Zügelfaust geführt wird. Der Reiter hat also zwei Paar Zügel in der Hand.
Die Ausbinder werden nur in die vordere Hälfte des Sattelgurts eingeschnallt. So können sie nicht zu weit hinunterrutschen. Achten Sie bei Stoßzügel und Ausbinder darauf, sie unter den Zügeln in die Trensenringe einzuschnallen. Sonst setzen die Zügel nicht richtig an.

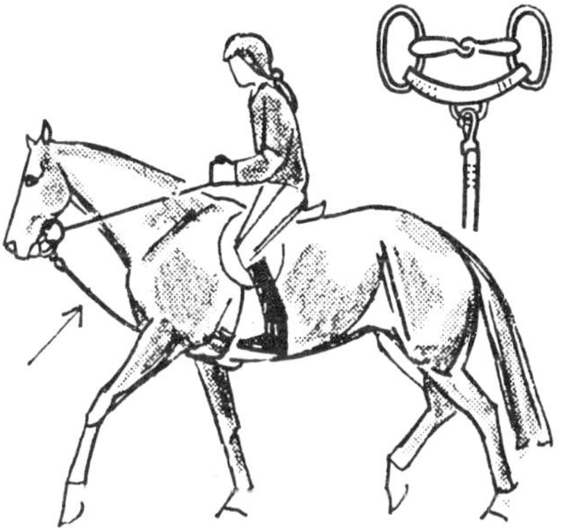

Bild 10. Ausbinder (oben), Stoßzügel (links) und Martingal (unten) sind die wichtigsten Hilfszügel.

Bevor Sie jetzt Ihr Pferd losmachen, um es in die Reitbahn zu führen, sollten Sie auch Ihren Anzug überprüfen (Knöpfe zu, Hemd in der Hose, Gerte dabei usw.).

Führen

Sie führen Ihr Pferd mit der rechten Hand, gehen also links neben dem Pferdehals. Dazu greifen Sie etwa eine Handbreit unter dem Kinn des Pferdes in die beiden Zügel: Der linke Zügel wird zwischen Daumen und Zeigefinger und der rechte zwischen Mittel- und Ringfinger in die Faust genommen. Auf kürzeren Strecken lassen Sie die Zügelenden über dem Pferdehals liegen, auf längeren nehmen Sie die Zügelenden herunter und auch in die rechte Hand (manche Autoritäten empfehlen, die Zügelenden in die linke Hand zu nehmen). Die Bügel bleiben hochgeschoben, sie würden sonst hin- und herpendelnd das Pferd stören oder sich irgendwo verhaken können. Blicken Sie Ihr Pferd nicht an; auch nicht, wenn es an einer Tür oder sonstwo zögert. Gehen Sie zielbewußt weiter. Und wenn das Pferd einmal gar nicht mit will, tippen Sie ihm mit dem linken Arm und der Gerte hinter Ihrem Rücken etwas auf die Hinterhand (bitte nicht bei nervösen Pferden!). Auch Zureden hilft.

Bandagen

Bei manchen Pferden sehen Sie, daß man ihre Fesseln bandagiert hat. Diese Bandagen schützen die Gelenke und die Hufkrone vor Verletzungen (zum Beispiel beim Springen), außerdem werden Gelenke und Muskeln gestützt. Ab und zu habe ich den Verdacht, daß manche Pferdebesitzer Bandagen für hübsch halten und sie mehr der Schönheit als des Schutzes wegen umwickeln.
Eine ähnliche Aufgabe haben die ledernen Gamaschen oder die die Hufkrone schützenden Sprungglocken.

Die Reithalle

Die *Reithalle,* früher auch „Tattersall“ (nach ihrem Erfinder, der 1766 in London das erste Reithaus einrichtete), ist eine große stützenfreie Halle, deren Boden mit Lohe bedeckt ist. *Lohe* ist zerkleinerte Eichen- und Tannenrinde, vermischt mit Hobelspänen und Pferdeäpfeln. Ebenso häufig ist Sand, und manchmal trifft man auch auf Sägespäne. Feuchthalten muß man alles, zumal im Sommer. Sonst sind Gesichter und Hosen schon nach einer halben Stunde schwarz (Lohe) oder grau (Sand). Die Halle ist üblicherweise 20 m × 40 m groß. Müssen, wie in manchen großstädtischen Vereinen, viele Pferde zugleich bewegt werden, baut man sie auch länger, zum Beispiel 20 m × 60 m.

Ringsum läuft die *Bande,* eine 1,50 bis 1,70 m hohe, nach innen leicht abgeschrägte Holzverkleidung. Abgeschrägt, damit Sie sich nicht das Knie anschlagen oder mit den Bügeln die Wand streifen. Der Bande entlang verläuft der *Hufschlag,* die „Normalspur“. Der „zweite“ oder innere Hufschlag verläuft 1,5 m weiter innen, also etwa 2 m von der Bande entfernt. Gehen zum Beispiel einige Reiter Trab, einige Schritt, so gehört den schnelleren die Normalspur, der äußere Hufschlag, und die Schrittreiter müssen auf den inneren Hufschlag ausweichen. Umgekehrt reitet man im Galopp im allgemeinen innen an den Reitern vorbei, die sich in Schritt oder Trab bewegen. So kann man sicherer ausweichen, falls das einmal nötig werden sollte. Weitere Ausweichregeln S. 79. Was die *langen* und die *kurzen Seiten* sind, leuchtet unmittelbar ein. Sie werden in die Kommandos, auf die ich gleich zu sprechen komme, ebenso mit einbezogen wie die Ecken.

Außerdem sind an der Bande noch einige Punkte markiert: Ein H (oder HB) bezeichnet die Mitte der langen Seite („halbe Bahn“). Ein schwarzer Kreis, *Parade-* oder *Zirkelpunkt* genannt, bezeichnet die Mitte der kurzen und die Viertel der langen Seite. Dann gibt es an den langen Seiten noch, etwa 6 m von den Ecken entfernt, dicke senkrechte Striche, die *Wechselpunkte.*

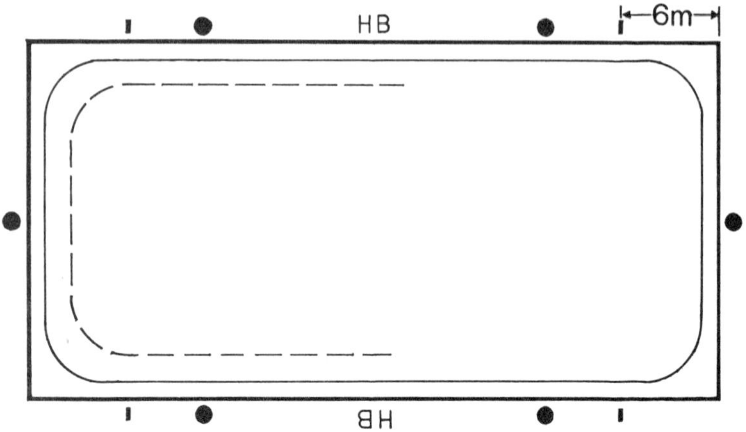

Bild 11. Die Reitbahn ist im allgemeinen 20 m breit und 40 m lang. An der Bande markiert ein H oder HB die Hälfte der langen Seite. Die Kreise heißen Zirkelpunkte. Die Wechselpunkte liegen 6 m vor den Ecken.

Der große *Spiegel* ist ein wichtiger Bestandteil der Reithalle. Nehmen Sie sich schon jetzt vor, darin immer wieder Ihren Sitz zu kontrollieren. Sie sehen im Spiegel auch, ob Ihre Bügel gleich lang geschnallt sind, wie die Beine Ihres Pferdes beim Halten stehen, ob es „seinen Hals wegstreckt“ oder „am Zügel geht“ usw.
Die *Bahnfiguren* sind die unsichtbaren „Straßen“ in der Reitbahn. Auch wenn Sie allein in der Halle sind, sollten Sie ihnen folgen und nicht kreuz und quer reiten. Nur so wird Ihnen bewußt, was Sie schon können und was noch nicht. Und wenn sich eine ganze Abteilung in der Halle bewegt und vom Reitlehrer durch Kommandos gesteuert werden soll, sind die Bahnfiguren unumgänglich. Sie gehören mit zu den ersten Dingen, die Sie lernen sollten. Sonst blamieren Sie sich unsterblich, wenn Sie der Reitlehrer eines Tages zur „Tête“, zum Spitzenreiter bestimmt. Wie die Bahnfiguren heißen und wie man sie im einzelnen reitet, steht auf Seite 63 ff.

Betreten der Bahn

Genug der Theorie, nun lassen Sie mich Taten sehen! Oft betritt die Abteilung die Reitbahn gemeinsam, einer hinter dem anderen. Sie führen Ihr Pferd mit der rechten Hand. Zeigefinger und Mittelfinger liegen zwischen dem linken und dem rechten Zügel. Die Gerte tragen Sie links. Rechts würde sie das Pferd stören, und in den Stiefelschaft gehört sie schon überhaupt nicht.
Kommen Sie allein (oder als erster von mehreren) an die Reitbahn, und darin wird geritten, so rufen Sie laut und vernehmlich *„Tür frei, bitte"*. Man wird Ihrem Wunsch nachkommen und nicht an der Tür vorbeireiten. Erst nach der Bestätigung „Tür ist frei" durch den Reitlehrer oder den „dienstältesten" Reiter in der Bahn schieben Sie den Riegel zurück und machen die Tür auf. Sind Sie allein (oder der letzte der Gruppe), dann schließen Sie die Tür wieder richtig. Offene Türen sind eine Gefahr, nicht richtig geschlossene eine noch größere. Wenn Sie sich den ersten Bluterguß im Knie an einer schlecht geschlossenen Reitbahntür geholt haben, wissen Sie warum.
In derselben Reihenfolge, in der sie die Halle betreten haben, *stellen sich* die Reiter auf der Mittellinie *auf,* Nasen zur langen Seite (alle zur selben!), etwa 3 m Abstand von Pferd zu Pferd, also eine gute Pferdelänge.
Kommen Sie zu einer Gruppe, die schon reitet, so halte ich es für höflich, laut „Guten Tag" zu sagen oder etwas Ähnliches.

Nachsatteln

Jetzt wird *„nachgesattelt"*. Auf dem Weg vom Stall hierher ist Ihr Pferd nämlich dünner geworden (genauer gesagt, es hatte beim Satteln Muskeln angespannt und dadurch etwas mehr Umfang); jetzt können Sie die beiden Riemen des Sattelgurts sicher noch ein oder zwei Löcher anziehen. Das macht man links. Nur wenn da die Gurte schon im obersten Loch sein sollten, prüft man, ob rechts noch etwas zu machen ist. Wenn ja, schnallt man den Gurt links ganz locker, gurtet rechts bis zum Anschlag nach und schnallt dann wieder auf der linken Seite die beiden Riemen auf die richtige Spannung. Ein bißchen umständlich? Gewiß, aber dafür rutschen Sie während der Stunde auch nicht samt Ihrem Sattel dem Pferd unter den Bauch. Um die Sattelgurte wirklich strammzuziehen, gibt es einen Trick: Stemmen Sie beim Nachgurten Ihren rechten Ellbogen gegen die rechte Hüfte und dann schieben Sie mit Ihrer Hüfte den Unterarm nach oben.

Paßt der Sattelgurt trotz aller Bemühung nicht, dann hat entweder ein anderer Reiter den Gurt ausgetauscht (und Sie müssen sich einen in der richtigen Länge geben lassen) oder Sie haben beim Satteln den falschen Sattel erwischt (und sich blamiert).

Muß während der Stunde nachgesattelt werden, so bleiben Sie dazu bitte im Sattel! Strecken Sie Ihr linkes Bein etwas nach vorn und heben Sie den Oberschenkel, so kommen Sie auch von oben an die Gurte. Der Fuß bleibt dabei im Steigbügel.

Als nächstes ziehen Sie die *Steigbügel* am Riemen herunter und schnallen sie auf die richtige Länge. Welches Maß für Sie richtig ist, merken Sie erst nach dem Aufsitzen, und noch während der Stunde kann es notwendig werden, sie zu verstellen. Ein Faustmaß sagt, Riemen plus Steigbügel soll etwa so lang sein wie der ausgestreckte Arm von den Fingerspitzen bis zur Achselhöhle.

Das lose Ende des Bügelriemens soll schräg nach hinten weisen und durch die Schlaufe auf dem Sattelblatt gesteckt sein. Fehlt diese Schlaufe oder ist das Ende zu kurz, steckt man es so unter dem Bügelriemen durch, daß sein Ende nach hinten weist. Merke: die in den Gurt eingeprägten Ziffern sind keine Garantie für gleich lange Bügel. Riemen können sich dehnen — oder gerissen und zusammengenäht sein. Die richtige Länge müssen Sie im Sattel sitzend spüren. Am Anfang reiten Sie vor den Spiegel und kontrollieren, ob beide Stiefelsohlen gleich tief stehen. Später spüren Sie es in den Beinen, ob und wo der Bügel verschnallt werden muß. Das geschieht, wie auch ein weiteres Nachsatteln, vom Sattel aus! Der Fuß bleibt dabei im Bügel.

Stecken Sie beim Nachsatteln und beim Bügelanpassen bitte jeweils einen Arm durch den Zügel. Der Zügel bleibt dabei über dem Pferdehals, er ist lang genug. Wenn Sie es vergessen, läuft Ihnen

Bild 12. Steigbügelriemen haben etwa die richtige Länge, wenn man mit den Fingerspitzen die Sicherheitsklappe berührt und der Bügel dann gerade in die Achsel reicht. Exakt kann man den Bügel erst vom Sattel aus verpassen.

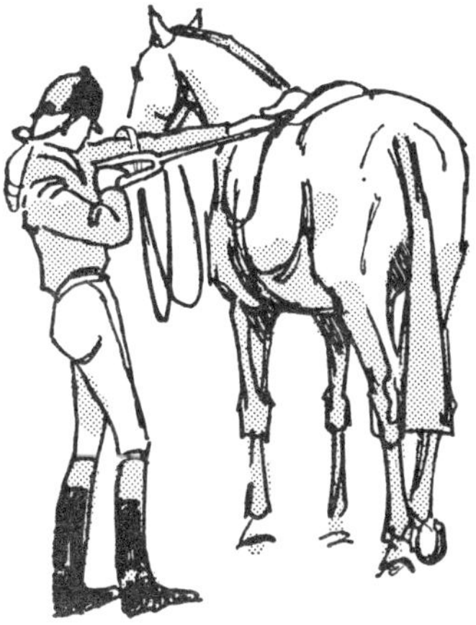

das Pferd womöglich davon, und es ist gar nicht so einfach, ein Pferd wieder einzufangen, nicht einmal in der Bahn!
Wenn Ihnen das Pferd doch einmal davongelaufen sein sollte: Rennen Sie nicht hinter ihm her — das Pferd ist schneller. Versuchen Sie es langsam, reden Sie ihm gut zu, locken Sie es mit einem Stück Zucker und lotsen Sie es unmerklich in eine Ecke, wo Sie dann am ehesten die Zügel wieder zu fassen kriegen. Und auch dann, wenn Sie Ihr Pferd wieder eingefangen haben: Loben Sie es, tun Sie ihm schön. Es soll das Gefühl bekommen, daß es sich mit Ihnen besser lebt als ohne Sie!

Aufsitzen

Zum *Aufsitzen* stellen Sie sich links neben Ihr Pferd, jetzt aber mit Blick zum Schweif. Greifen Sie mit der linken Hand in beide Zügel und in die Mähne unmittelbar vor dem Sattel (oder in den kleinen Aufhängeriemen vorn am Sattel). Straffen Sie die Zügel mit der rechten Hand so weit, daß das Pferd nicht nach vorn wegläuft; aber auch nicht so stark, daß es rückwärts tritt. Und auch die Peitsche dürfen Sie nicht fallen lassen (linke Hand!). Drehen Sie den Steigbügel mit der Rechten ein wenig nach links und setzen Sie Ihren linken Fuß hinein. Jetzt fassen Sie rechts an den hinteren oberen Sattelrand, stoßen sich mit dem rechten Fuß ab — und nach einem kleinen Klimmzug sitzen Sie im Sattel. Bitte nicht plumpsen lassen, sondern weich in den Sattel gleiten! Und ja nicht mit dem rechten Bein die Kruppe des Pferdes berühren.
Ich wiederhole: Stellen Sie sich vor dem Aufsitzen mit Blick zum

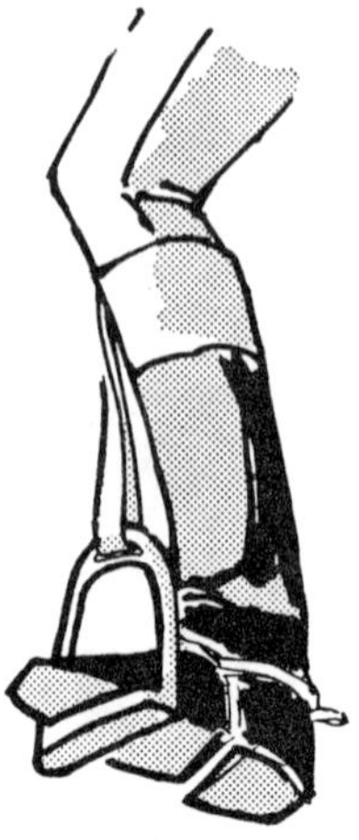

Bild 13. So sitzt der Steigbügel korrekt: Der Bügelriemen ist nach außen gedreht, der Bügel selbst liegt unter dem Fußballen, die Stiefelsohle weist leicht nach außen.

Pferdeschweif auf, denn wenn Sie rechtwinklig vor ihm stehen, kicken Sie ihm beim Aufsteigen die Stiefelspitze in den Bauch. Da würde ich als Pferd auch weglaufen.

Jetzt angeln Sie sich zuerst den rechten Steigbügel. Als Anfänger dürfen Sie dabei noch hinuntergucken. Später muß Ihre Fußspitze das allein können. Aber dann wissen Sie zum Beispiel auch auswendig, welches Loch des Steigbügelriemens mit Ihrer Beinlänge korrespondiert. Achten Sie darauf, daß die Bügelriemen sich von oben gesehen nach außen drehen. Ist der Bügelriemen verschränkt, liegt er nicht richtig am Stiefelschaft an, und der Bügel rutscht eher vom Fuß.

Wenn Sie jetzt noch die Zügel richtig in der Hand haben, haben Sie Zeit, etwas über Ihre nächsten Ziele nachzudenken. „Richtig" heißt, die Zügel sollen nicht verdreht sein und vom Trensenring zwischen Ringfinger und kleinem Finger in die Faust und oben aus dieser herauslaufen. Der Daumen liegt „dachförmig" oben auf der fest geschlossenen Zügelfaust. Die losen Zügelenden hängen rechts neben dem Pferdehals.

Erste Etappe: Der Sitz

Als erstes müssen Sie, muß Ihr Körper lernen, sich auf dem bewegten Pferd im Gleichgewicht zu halten. Erst daraus kann sich dann die anscheinend mühelose Harmonie zwischen Pferd und Reiter entwickeln, die das Ziel aller Reiterei ist. Zwei sehr verschieden konstruierte Lebewesen sollen sich so bewegen, als ob sie geradezu ein Organismus seien. Trösten Sie sich: Ihr Pferd hat sich anfangs auch erst daran gewöhnen müssen, 50 bis 80 kg Ballast mit sich herumzutragen. Jetzt sind Sie dran!

Balance

Ähnlich wie ein Speisewagenkellner das Schlingern des Zuges ausbalanciert, müssen Sie lernen, mit den Bewegungen des Pferdes fertigzuwerden. Das ist in allererster Linie eine Sache der Gewöhnung, etwas, was Zeit braucht. Der Anfänger macht sich steif und wird deshalb vom Pferderücken hin- und hergeworfen. Er fällt bei jedem Trabtritt oder Galoppsprung seinem Pferd ins Kreuz, das sich nun seinerseits steif macht und damit das Ungemach des Reiters weiter steigert.
Aus diesem Teufelskreis müssen Sie so bald wie möglich ausbrechen. Mit dem Verstand oder dem Willen ist da wenig zu machen. Ihr Körper, Ihre Muskeln und Gelenke müssen lernen, mit den Bewegungen des Pferdes „mitzugehen", sie durch unbewußte Gegenbewegungen auszugleichen. Wenn Sie nur einmal in der Woche eine Stunde zu Pferde sitzen, hat Ihr „Es" die Lektionen jeweils wieder vergessen, bis Sie das nächste Mal in den Sattel steigen. Daher mein Rat: Gehen Sie zweimal die Woche reiten, zumindest im ersten halben Jahr. Es lohnt sich. Siehe auch Seite 17.
Versuchen Sie, diese anfängliche Unsicherheit möglichst rasch zu überwinden. Solange Sie sich ängstlich und verkrampft auf Ihrem Pferd festklammern, kann es mit der Reitkunst nichts Rechtes werden. Stellen Sie sich kleine Mutproben. Reiten Sie zum Beispiel

am Anfang und am Ende der Stunde freiwillig ein paar Runden ohne Bügel. Zuerst im Schritt, später auch im Trab und im Galopp. Es ist gar nicht so schrecklich gefährlich.
Zügel und Bügel sind, wie Sie im nächsten Kapitel lesen, ausschließlich Hilfen für Ihr Pferd und nicht für den Reiter, um damit sein verlorengegangenes Gleichgewicht wiederzugewinnen.
Ob Lockerungsübungen (zum Beispiel Gymnastik oder Ballspiele) zu Pferd einen Sinn haben, darüber gehen die Meinungen der Experten auseinander.
Bitte achten Sie auf die Korrekturen, die Ihnen Ihr Reitlehrer zuruft. Man gewöhnt sich rasch irgendeine Untugend an und hat dann später Mühe, sie wieder loszuwerden. Überprüfen Sie auch unaufgefordert ein paarmal während der Stunde, ob Ihre Haltung so ist, wie sie eigentlich sein sollte. Solange Sie noch Fußgänger sind, glauben Sie gar nicht, was man alles falsch machen kann!

Sitz und Haltung

Sicher, ein Reiter ist keine Gliederpuppe. Aber es gibt ein paar Regeln für *Sitz und Haltung*, die Sie beherzigen sollten und die Ihnen vielleicht eher einleuchten, wenn ich Ihnen den Sinn erkläre.
Beginnen wir beim *Sitz*. Wenn Sie im Sattel sitzend unter Ihren Hosenboden fassen, spüren Sie links und rechts Ihre beiden Gesäßknochen. Normalerweise soll Ihr Gewicht auf beide gleichmäßig verteilt sein; aufrecht und gerade sollen Sie im Sattel sitzen. Machen Sie kein hohles Kreuz (lieber einen kleinen Buckel) und ziehen Sie auch den Bauch nicht ein. In beiden Fällen ginge die federnde Elastizität verloren, die die Reiterwirbelsäule haben soll. Neigen Sie sich weder zu weit vor — daraus resultiert der *„Spaltsitz"* —, noch nach hinten — das ergibt den *„Stuhlsitz"* —, bei dem zugleich meist auch die Unterschenkel zu weit nach vorn geraten. Und nur wenn Sie gerade im Sattel sitzen, liegt Ihr Schwerpunkt da, wo ihn Ihr Pferd zu tragen gewohnt ist: über seinem eigenen.
Sie sollen im tiefsten Punkt des Sattels sitzen; also weit vorn, nicht hinten auf dem Polster.
Auch mit dem daraufgesetzten Hügelchen des Sattels ist so ein Pferdebauch eine ziemlich beachtliche Tonne. Als Anfänger sind

Bild 14. Stuhlsitz (links) und Spaltsitz. Beim korrekten Sitz ruht das Reitergewicht gleichmäßig auf den beiden Gesäßknochen und dem Spalt. Schulter, Hüfte und Absatz liegen senkrecht übereinander.

Sie noch zu „eng" im Schritt, er muß sich erst weiten. Nach ein paar kräftigen Muskelkatern hängen Ihre *Oberschenkel* dann steiler am Pferd, und Ihre Knie kommen tiefer. Um so besser fühlen Sie, was Ihr Pferd macht, und Ihr Halt wird sicherer.

Die *Knie* sollen immer (immer!) dicht am Sattel liegen. In der „guten alten Zeit" legte man uns ein Blatt Papier zwischen Knie und Sattelblatt — und wehe, wir verloren es. Bitte prüfen Sie oft und von sich aus, was Ihre Knie machen. Sie sollen dicht am Pferd liegen. Aber bitte klammern Sie sich nicht mit den Knien fest. Damit würden Sie steif — und das ist mindestens so ärgerlich wie ein „offenes Knie" (d. h. wenn man von vorn oder hinten zwischen Knie und Sattel hindurchsehen kann).

Wie Ihre Oberschenkel sollen auch die *Unterschenkel* locker an der Seite herabhängen, dabei aber in Fühlung mit dem Pferdeleib

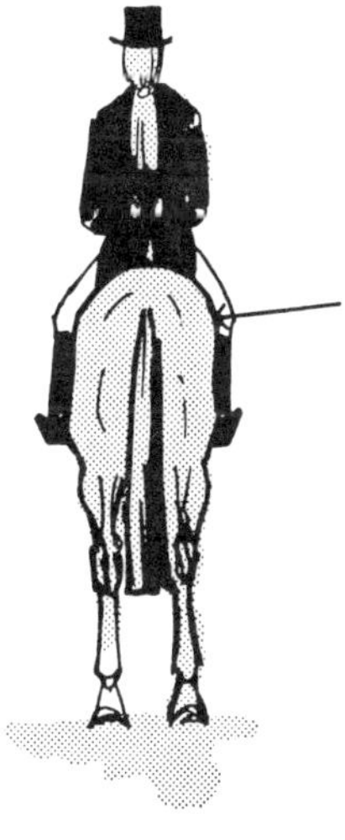

Bild 15. Oberschenkel und Knie liegen flach und dicht am Sattel. An der Stelle mit dem Pfeil darf man nicht zwischen Knie und Sattel hindurchsehen können.

bleiben. Das heißt, daß Sie Ihre Beine weder wie Trommelstöcke herumhüpfen lassen, noch sich mit ihnen am Pferd festklammern. Die *Ferse* ist nach altem Brauch „der tiefste Punkt des Reiters". Auch Leute, die schon ganz ordentlich zu Pferde sitzen, ziehen im Galopp die Ferse noch manchmal hoch — ein Zeichen, daß sie die notwendige Gelöstheit noch nicht ganz erreicht haben. Die Ferse soll etwa senkrecht unter Ihrer Schulter sein; dann liegt Ihr Fuß zugleich „am Gurt". Das Fußgelenk soll leicht „nach innen durchfallen", so daß Ihre Stiefelsohle etwas nach außen zeigt. Die Füße weisen schräg nach vorn, nicht nach außen. Sonst streifen Sie an der Bande — und später, wenn Sie sich die Sporen verdient haben, würden Sie mit einer Fußhaltung à la Charlie Chaplin Ihr Pferd dauernd mit dem Sporn kitzeln.

Die *Oberarme* hängen gerade herunter, die Ellenbogen liegen an den Hüften, und die Unterarme verlaufen so, daß Unterarm und Zügel in einer Linie, ohne Knick, zum Pferdemaul führen.

Die *Fäuste* stehen aufrecht, der Daumen liegt oben, der kleine Finger weist zum Nabel, Handrücken in Verlängerung des Unterarms. Sie dürfen weder mit „verdeckten Fäusten" (dabei weisen die Handrücken nach oben) reiten noch die Handgelenke nach außen knicken. Die Fäuste sind zu! Und zwar so fest, daß das Pferd Ihnen nicht durch einfaches Kopfnicken die Zügel herausziehen kann. Die *Zügel* dürfen nicht verdreht sein. Man greift von oben so in sie hinein, daß sie zwischen kleinem Finger und Ringfinger in die Faust hinein- und oben wieder herauslaufen. Der Daumen liegt dachförmig auf den losen Enden. Diese hängen rechts herunter, zwischen Pferdehals und rechtem Zügel. Achten Sie darauf, daß Ihre Fäuste — zumal im Trab — nicht ins Hämmern geraten. Sie sollen sie ruhig vor sich her tragen, etwa eine Handbreit auseinander und ebenso hoch über dem Sattelzwiesel.

Die *Gerte* halten Sie in der Faust, die nach innen, zur Mitte der Bahn, zeigt. Schon damit sie nicht an der Bande streift. Beim Handwechsel muß also auch die Gerte in die andere Hand genommen werden! Das lange Ende schaut am kleinen Finger aus der Faust heraus und liegt schräg nach hinten unten auf Ihrem Oberschenkel. Der Schlag mit der Gerte („Klopfen Sie doch hin!") kommt aus dem Handgelenk und soll die Zügelführung so wenig wie möglich stören.

Bild 16. Nur wenn der Ellbogen an der Hüfte liegt, kann man seine Fäuste ruhig „vor sich hertragen". Bei weggestreckten Armen und verdeckten Fäusten hämmern sie auf und ab.

Die *Blickrichtung* ist frei geradeaus, zwischen den Ohren Ihres Pferdes hindurch.
Der *Mund* ist geschlossen. Reiter in einer Abteilung sind stumm wie die Fische. Nur die Stimme des Reitlehrers ist zu hören. Fragen stellen Sie nach der Stunde...

So, das reicht; sonst geraten Sie in tausend Nöte oder verfluchen mich wegen meiner „Schräubchenkunde". Gewöhnen Sie sich lieber an, sich so alle fünf bis zehn Minuten zu kontrollieren:

Absatz — tief,
Kleiner Zeh — nach vorn und oben,
Knie — zu
Ellbogen — an der Hüfte
Oberkörper — aufrecht
Fäuste — zu.

Schauen Sie Ihre Mitreiter kritisch an; dann sehen Sie, was man alles falsch machen kann — aber auch, wie gut alles zusammenwirkt, wenn einer in dieser merkwürdigen Kombination von Gelöstheit und Spannung zu Pferde sitzt, die die Grundlage aller reiterlichen Kunst ist.

Reiten ohne Bügel

Das *Reiten ohne Bügel* ist ein exzellentes Mittel, seinen Sitz zu verbessern. Deshalb wollen wir den Abschnitt über den Sitz damit beschließen. Beim Dressurreiten sollen die Knie möglichst tief liegen. Je lockerer Sie im Laufe der Zeit in den Muskeln und Bändern werden, desto länger können Sie die Bügelriemen schnallen, desto deutlicher fühlen Sie die Bewegungen des Pferdes, desto genauer können Sie auf das Pferd einwirken.

Deshalb sollten Sie es auch nicht als Bosheit des Reitlehrers deuten, wenn er Sie auffordert, ein paar Runden ohne Bügel zu reiten. Es ist eher ein Kompliment: daß er Sie nämlich schon für fähig oder sagen wir lieber mutig genug hält. Dabei ist die Geschichte gar nicht so gefährlich, wie Sie vielleicht denken. Probieren Sie das Reiten mit übergeschlagenen Bügeln auch aus eigenem Antrieb, unaufgefordert. Zuerst im Schritt. Füße aus den Bügeln nehmen und die Bügelriemen vor dem Sattel kreuzweise über den Pferdehals legen. Sehen Sie — es ist gar nicht so schlimm!

Am Anfang dürfen Sie Ihre Beine einfach hängen lassen. Später, wenn Ihnen das „Absatz tief“ in Fleisch und Blut übergegangen ist, heben Sie Ihre Fußspitzen auch ohne Bügel in die korrekte Stellung. So, und dann versuchen Sie's im Trab, und nach zwei weiteren Stunden auch im Galopp. Da macht das Balancieren durch die Ecken richtig Spaß.

Auf den Zuruf „Bügel wieder aufnehmen“ läßt man die Bügel wieder links und rechts hinunterrutschen und angelt sie sich an die Füße. Ohne Hinschauen, die Füße müssen das alleine können. Nur ein kurzer Blick ist erlaubt: zur Kontrolle, daß die Bügelriemen nicht verdreht sind.

Zweite Etappe: Die Hilfen

Wie Sie im Sattel sitzen sollen, wissen Sie jetzt. Auch wenn es noch einige Zeit dauert, bis Ihre Arme und Beine sich an diese Vorschriften halten. Aber wie bekommt man sein Pferd nun dazu, das zu tun, was es soll?
Wir wollen nicht davon sprechen, wie ein junges Pferd lernt, unter dem Reiter zu gehen. Sie haben es ja mit Pferden zu tun, die im Prinzip wissen, um was es geht; ja, die manchmal sogar eher auf die Kommandos des 20 m entfernt stehenden Reitlehrers reagieren als auf das, was Sie mühsam aus ihnen herauszukitzeln versuchen.
Schon am Anfang schrieb ich, daß Pferde recht fügsame Geschöpfe sind. Wenn ein Pferd unfolgsam erscheint, liegt das also meist an Verständigungsschwierigkeiten. Daran, daß der Reiter seinem Pferd nicht in der richtigen Weise oder mit dem nötigen Nachdruck klarmacht, was es tun soll. Es hilft nichts: Wenn irgend etwas nicht klappt, steht es 10 : 1, daß die Schuld beim Reiter liegt.
Um auf Ihr Pferd einzuwirken, um ihm klarzumachen, was es tun soll, gibt es „Hilfen“. Es gibt derer drei: Gewicht, Schenkel und Zügel.
Diese Reihenfolge ist bedeutsam. Denn von Ihrer Fähigkeit, Ihren Schwerpunkt während aller Bewegungen mit dem des Pferdes in Übereinstimmung zu halten, hängt die Harmonie der gemeinsamen Bewegung ab. Die treibenden Hilfen durch die Schenkel sind wichtiger als die bremsenden durch die Zügel. Sie müssen ja das Pferd erst einmal dazu bringen, sich schwungvoll zu bewegen, bevor Sie diese Bewegung bremsend und steuernd regeln können. Das gilt für alle Reiterei — um wieviel mehr erst für die schon etwas resignierten Anfänger-Pferde, denen man im allgemeinen recht handfest klarmachen muß, was man von ihnen will.

Gewicht

Bei den *Gewichtshilfen* kommt es also in erster Linie darauf an, daß Ihr eigener Schwerpunkt auf den des Pferdes abgestimmt ist.

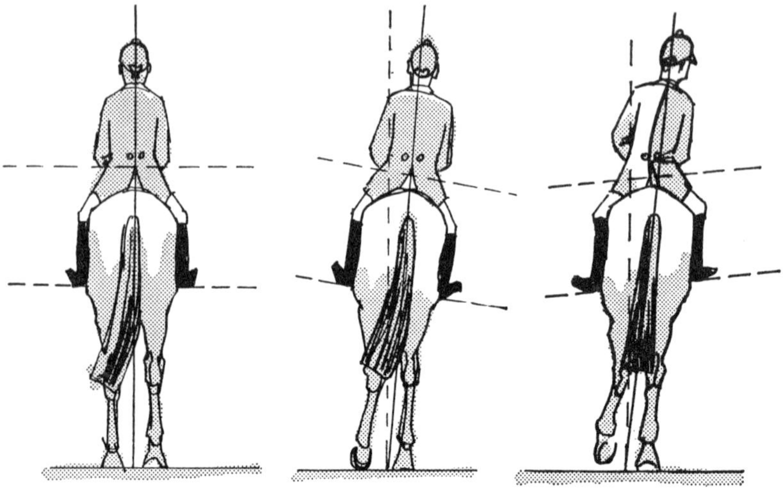

Bild 17. Links: Aufrecht geradeaus reiten. Die Schwerpunkte von Reiter und Pferd liegen senkrecht übereinander.
Mitte: Bei jeder Wendung (Zirkel, Ecke, Volte) tritt man den inneren Bügel stärker aus; Pferd und Reiter verlagern ihren Schwerpunkt nach innen, in die Wendung hinein.
Rechts: Ein häufiger Fehler ist, statt dessen in der Hüfte einzuknicken.

Sitzen Sie gerade zu Pferd, soll Ihr Schwerpunkt senkrecht über dem des Pferdes liegen. Verlegen Sie Ihr Gewicht nach links oder rechts, ist Ihr Pferd veranlaßt, in diese Richtung zu treten: Es versucht, Ihr Gewicht wieder auszubalancieren. Das gilt ebenso in der Bewegung: Da sollen Sie „in die Wendung hineinsitzen", d. h. Ihr Gewicht nach innen verlagern. Das geschieht, indem Sie sich verstärkt auf den linken oder rechten Gesäßknochen setzen und zugleich den entsprechenden Steigbügel stärker belasten. Ein häufiger Fehler ist es, statt dessen in der Hüfte einzuknicken. Das ergibt das entgegengesetzte Resultat.

Schenkel

Mit den *Schenkelhilfen* treiben Sie das Pferd: Genauer gesagt, hat jeder Unterschenkel die Aufgabe, auf den betreffenden Hinterfuß des Pferdes einzuwirken; und zwar wirkt er (das ist dem Pferd anerzogen worden) *am Gurt* vorwärtstreibend: Der Schenkeldruck läßt den Tritt größer, länger, höher werden. Er wirkt am besten, wenn er in dem Augenblick gegeben wird, in dem der betreffende Hinterfuß sich vom Boden hebt. Eine Handbreit *hinter dem Gurt* wirkt der Schenkel verwahrend: Er verhindert, daß das Pferd nach dieser Seite tritt; oder seitwärts treibend: Verstärken Sie nämlich den Schenkeldruck, dann veranlaßt er das Pferd, nach der entgegengesetzten Seite zu treten.

Zügel

Mit den *Zügelhilfen* wirken Sie über das Pferdemaul und den Kopf des Pferdes auf seine Haltung ein. Dabei biegen und bremsen Sie das Pferd — je nachdem. Während Sie die Gewichtshilfen und die Schenkelhilfen als Anfänger eher zu undeutlich und zu schwach geben, ist es bei den Zügelhilfen umgekehrt: Sie werden meist zu stark, zu heftig gegeben.
Zwar sollen Sie immer „in Verbindung mit dem Pferdemaul" bleiben, aber die Zügelhilfen sind kaum mehr als Annehmen und Nachgeben um 2 bis 3 cm. Was nicht dadurch geschieht, daß Sie sich nach hinten legen und an den beiden Riemen zerren — sondern lediglich durch Eindrehen der Faust (wie wenn Sie einen Schraubenzieher drehen). Der Zug, den Sie dauernd auf Ihre beiden Zügel ausüben, soll etwa ein viertel Kilo betragen — stellen Sie sich vor, an jedem Zügel hinge ein halbes Pfund Butter. Natürlich gibt es Pferde die im Maul empfindlich sind und sanftere Zügelhilfen brauchen — und unter den Anfängerpferden noch mehr, die „hart im Maul" (geworden!) sind.
Schenkel wie Zügel können jeweils paarweise wirken, zum Beispiel wenn Sie zum Anreiten mit beiden Zügeln zugleich etwas „Luft geben". Oder wenn Ihre Schenkel beim Traben gleichmäßig im Takt wirken. Häufiger aber tun der linke und der rechte Zügel etwas Verschiedenes, ebenso die Schenkel. Zum Beispiel soll sich Ihr Pferd oft biegen, also Hals- und Rückenwirbel nach rechts oder links wölben. Merken Sie sich schon jetzt: Mit Ihren Armen wirken Sie über den Kopf des Pferdes auf seine Vorhand, mit den Schenkeln auf seine Hinterhand. Anders ausgedrückt: die Schultern von Pferd und Reiter sind parallel zu denken, und ebenso Schenkel bzw. Hüften des Reiters und die Hinterhand.

Übrigens, das Pferd hat auch seine Möglichkeiten, Kritik an Ihren Hilfen zu üben. Schlägt es mit dem Kopf, so heißt das „Deine Zügelführung ist zu hart, die Fäuste sind zu unruhig". Tritt es eines Tages mit einem Hinterfuß nach Ihrem Sporn, dann bedeutet das, Sie kitzeln es zu oft und zu unüberlegt damit. Mit dem Schweif schlagen meint dasselbe.

Kreuzanspannen

Es wäre sinnlos, diese Hilfen einzeln jede für sich üben zu wollen. Ihr Pferd wüßte nicht, was es tun soll. Immer müssen mehrere Hilfen zusammenspielen. Wir werden gleich darauf kommen. Zunächst müssen Sie noch einen Begriff lernen: *das Kreuz anspannen.* Und das ist nun etwas, was Sie sich „zu Fuß" klarmachen, was Sie üben sollten, bevor Sie sich aufs Pferd setzen. Denn davon, daß Sie es dann auf dem Pferd richtig machen, hängt viel ab — vom ersten Anreiten bis zum Anhalten am Schluß der Stunde.
Wenn Sie auf einer Schaukel sitzend „anschaukeln", spannen Sie Ihr Kreuz an. Ebenso, wenn Sie vor einem Tisch stehen, über den zum Beispiel ein Buch herausragt, und Sie dieses mit Ihrem Unter-

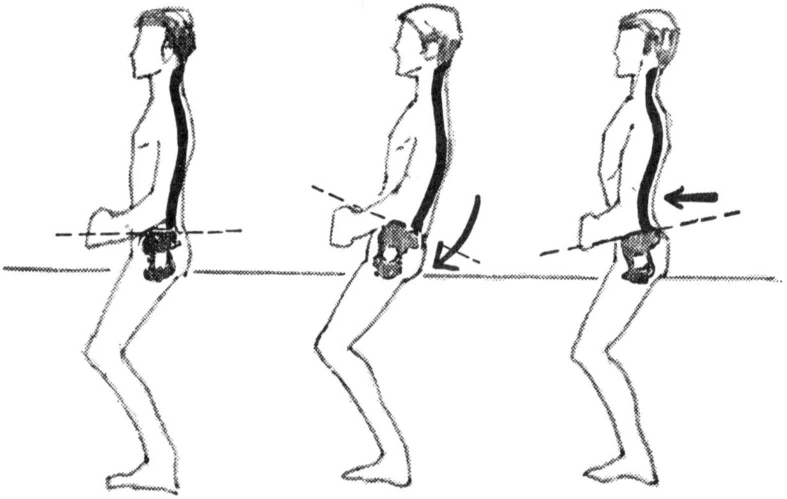

Bild 18. Normaler Sitz, angezogenes Kreuz und hohles Kreuz. Die gestrichelte Linie verdeutlicht die Lage des Beckens.

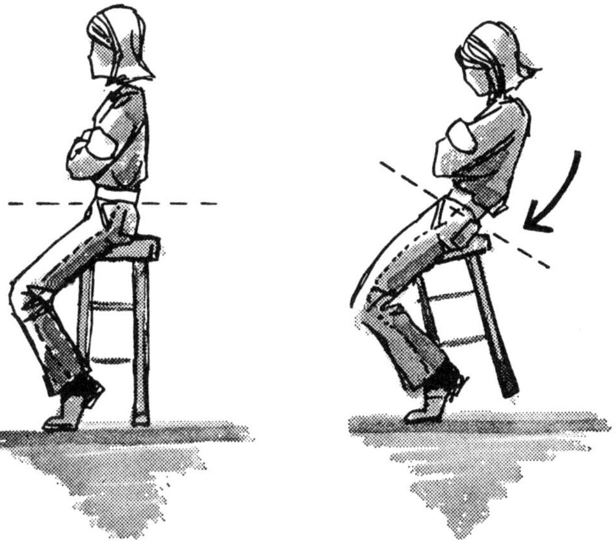

Bild 19. Durch „Kreuzanziehen" bringt man den Hocker zum Kippen.

leib zurückschieben. Oder wenn Sie auf einem Hocker sitzen und diesen nach vorn kippen lassen. Machen Sie kein hohles Kreuz, das wäre genau das Verkehrte. Setzen Sie sich mit leicht gespreizten Beinen auf einen Hocker und lassen Sie ihn nur durch Kreuzanspannen nach vorne kippen. Wenn es klappt, haben Sie die Theorie des Kreuzanspannens begriffen und den ersten Schritt in dessen Praxis getan.

Jedes Pferd reagiert anders. Von der verschiedenen Empfindlichkeit der Pferdemäuler habe ich schon geschrieben. Dasselbe gilt aber auch für das Ansprechen auf die anderen Hilfen. Sie müssen also den Erfolg Ihrer Hilfen ständig kontrollieren. Sie müssen fühlen, ob und wie Ihr Pferd reagiert. Denn im Endergebnis sollen die Hilfen ja fast unsichtbar werden. Mit je weniger Sie (und das Pferd) auskommen, desto besser. Entscheidend ist nicht die Stärke der Hilfen, sondern daß sie zum exakt richtigen Zeitpunkt gegeben werden.

Die Gangarten

Hören Sie sich bitte noch ein bißchen Theorie an. Die drei *Gangarten* sind Schritt, Trab und Galopp. Ersparen Sie mir die gelehrte Auseinandersetzung über die Fußfolge. Das wissen die Pferde von allein. Denken Sie an die schreckliche Geschichte von dem hilflos im Straßengraben liegenden Tausendfüßler, der nicht mehr wußte, mit welchem Bein er anfangen sollte.
Was aber nicht bedeutet, daß Sie selbst sich nicht sehr aufmerksam den Rhythmus und den Bewegungsablauf ansehen sollten. Versuchen Sie einmal selbst, dahinterzukommen, wodurch sich der müde, schlampige Trab unter einem unaufmerksamen Reiter von den hohen, weit ausgreifenden und federnden Trabtritten eines gut gerittenen Pferdes unterscheidet. Das geht bis zum Schweif und zu den Ohren!
Nun reitet man aber nicht einfach schlechthin eine der drei Gangarten (Schritt, Trab, Galopp); vielmehr gibt es da noch eine Reihe von Unterscheidungen, je nachdem, ob Pferd und Reiter sich konzentriert und angespannt oder lässig und locker bewegen. So unterscheidet man beim *Schritt* den „losgelassenen" vom „versammelten" Schritt. Der „losgelassene" ist dabei die Art von Bewegung, die das Pferd von alleine geht, ohne wesentliche Einwirkung des Reiters. Versammelt wird der Schritt dann genannt, wenn das Pferd aufmerksam „an den Hilfen steht", Kopf und Schweif wirklich „trägt" und damit auch höhere, ausgeprägtere Schritte geht. Dabei soll auch ein versammeltes Pferd kräftig vorwärts gehen.
Beim *Trab* steigert sich die Trittlänge, die Trittfolge und vor allem die Kraft der Bewegung vom „Arbeitstrab" (dem üblichen, längere Strecken durchzuhaltenden Tempo) über den deutlich beschleunigten „Mitteltrab" bis zum „starken Trab". Auch hier kommt der Gegensatz „versammelt" oder „losgelassen" zum Vorschein. Freilich ist der losgelassene Trab mehr etwas fürs Geländereiten, während Sie in der Bahn eigentlich nur „versammelt"

traben sollten. Dagegen reitet man auch in der Bahn immer wieder einmal losgelassenen Schritt, zur Entspannung.

Bleibt der Reiter bei jedem Trabtritt im Sattel sitzen, nennt man das „aussitzen" oder (seltener) „deutsch traben". Scheint er bei jedem zweiten Trabtritt etwas aufzustehen, dann „trabt er leicht" (oder „englisch").

Beim *Galopp* gibt es auch wieder drei Varianten: Die Länge der Galoppsprünge steigt (und damit die Geschwindigkeit) vom „Arbeitsgalopp" über den „Mittelgalopp" bis zum „starken Galopp". Während Schritt und Trab auf der linken und auf der rechten Hand im Prinzip gleich sind, gibt es beim Galopp den Links- und den Rechtsgalopp. Diese Namen entsprechen der „Hand", die man jeweils reitet. Genauer gesagt: auf der linken Hand bevorzugt das Pferd von sich aus den Linksgalopp und umgekehrt. Reitet man auf der linken Hand Rechtsgalopp, so spricht man von *Kontergalopp*, siehe Seite 101.

Takt ist der gleichbleibende Rhythmus der Schrittfolge. So macht ein Pferd etwa 100 bis 130 Schritte in der Minute. Auf diesen Rhythmus kann man verzögernd oder beschleunigend einwirken.

Dagegen bezeichnen die Reiter mit *Tempi* (Mehrzahl von Tempo) nicht den schnelleren Takt, sondern die verschiedene Intensität, mit der man eine Gangart reitet (zum Beispiel Mitteltrab oder Arbeitstrab). Sie spiegelt sich in der Höhe und Weite der einzelnen Tritte. Bei gleich rascher Trittfolge können die Tritte losgelassen und raumgreifend sein oder versammelt, also kürzer.

Jetzt fehlen noch die einschlägigen *Kommandos*. Sie bestehen aus zwei Teilen, fachmännisch gesprochen aus dem „Ankündigungs"- und aus dem „Ausführungskommando". Dazwischen gibt Ihnen eine kleine Pause Zeit, sich und Ihr Pferd auf die Ausführung des Befohlenen vorzubereiten. Deswegen erkennt man auch schon aus dem Ankündigungskommando, also aus der ersten Hälfte, „was kommt". Diese Pause ist im folgenden durch einen Schrägstrich (/) markiert.

Auf *„Abteilung / marsch"* setzt sich die Abteilung im Schritt in Bewegung — und zwar alle zugleich, nicht wie die Autos an der Verkehrsampel! *„Im Arbeitstempo / Trab"* und *„Im Arbeitstempo Galopp / marsch"* bedeutet den Übergang in die „nächsthöhere Gangart", also Antraben oder Angaloppieren.

„Durchparieren zum / Trabe“ bzw. *„Durchparieren zum / Schritt“* meinen das Umgekehrte. Und schließlich bringt das Kommando *„Abteilung / Halt“* alles zum Stehen (oder sollte das doch tun). Natürlich kann man auch aus dem Schritt angaloppieren oder aus dem Trab anhalten, ja sogar aus dem Galopp. Selbst Angaloppieren aus dem Halten ist möglich — freilich nur beim Einzelreiten, nicht in der Abteilung. Sollen lediglich Tempi gewechselt werden, hören Sie zum Beispiel während eines Arbeitstrabes das Kommando „die beiden nächsten langen Seiten / Mitteltrab“ — oder „durch die ganze Bahn wechseln, dabei auf der Wechsellinie zulegen bis zum Mitteltrab“. Aber das ist schon fast kein Kommando mehr, sondern eine Gebrauchsanweisung.

Anreiten

Sie erinnern sich: Bevor ich anfing, Ihnen über den Sitz und die Hilfen allerlei Theoretisches zu erklären, saßen Sie in der Reitbahn auf dem Pferd, hatten die Zügel richtig in der Hand, kein Bügelriemen war verdreht — und Sie warteten, daß es endlich losginge.

Ob nun zu Anfang der Stunde jeder für sich losreitet oder ob das schon in der Abteilung geschehen soll — wie reitet man an?

Ganz einfach: Kreuz anspannen, gleichmäßiger Schenkeldruck links und rechts am Gurt, etwas mit den Zügeln nachgeben.

Wenn Ihr Pferd eine ausgesprochen soziale Ader hat, hat es sich jetzt wirklich in Marsch gesetzt. Aber solche Pferde sind selten. Sie probieren's also noch mal; wieder nichts. Verzweifeln Sie nicht! Daß Ihr Pferd stehen bleibt, ist nicht ausschließlich Bosheit. Irgendwie hat es in Ihnen den Anfänger erkannt: Die dreierlei Hilfen haben noch nicht richtig übereingestimmt. Vielleicht haben Sie sich in der Erwartung, daß es jetzt gleich losgeht, nach vorn gebeugt. Oder gar den Bauch eingezogen. Oder die Zügel „weggeschmissen“ (statt sie zunächst nur eine Kleinigkeit anzunehmen, um dann nur 1 bis 2 cm nachzugeben). All das darf nicht sein.

Zum Glück gibt es die Gerte. Klopfen Sie Ihrem Pferd beim nächsten Versuch damit gegen die Schulter. Nicht so zaghaft, da kann nichts kaputtgehen! Noch kein Pferd ist auf Dauer und für immer stehen geblieben. Bitte nicht nervös werden, auch wenn der

Reitlehrer heute seinen grimmigen Tag hat. Rekapitulieren Sie in aller Ruhe:

> Aufrecht und gerade sitzen,
> Kreuz anspannen, Zügel etwas annehmen,
> Kreuz angespannt lassen, mit beiden Unterschenkeln gleichzeitig drücken (notfalls auch gegen den Pferdeleib klopfen) und die Zügel wieder etwas nachgeben. Eventuell mit der Gerte nachhelfen.

Na also. Sie werden das Anreiten noch öfters üben müssen. Und eines Tages geht es dann wirklich so glatt und unauffällig wie anfangs beschrieben.

Lassen Sie mich gleich noch ein paar Worte über die *Gerte* und ihren Gebrauch sagen. Daß Sie in der Bahn, also zum Dressurreiten, eine lange Gerte haben sollten, steht schon ganz zu Anfang. Sie merken jetzt langsam, warum: Die Gerte muß bis zur Hinterhand reichen, und zwar ohne daß Sie dazu die Zügel loslassen. Ganz am Anfang können Sie sich mit einer kürzeren begnügen; aber damit können Sie allenfalls gegen die Pferdeschulter klopfen. Je tiefer Sie in die Bewegungsvorgänge eindringen, desto differenzierter werden Sie Ihre Gerte gebrauchen wollen. Und noch einmal: der Schlag soll rasch und kräftig geführt werden, und ohne daß Sie dabei die Verbindung mit dem Zügel zum Pferdemaul verlieren. Es ist Unsinn, erst die Zügel in die Linke zu nehmen und dann weitausholend zu versuchen, mit der kurzen Springgerte die Hanken zu erreichen. Dann fällt das Pferd bestimmt auseinander. Das heißt, das gewölbte Rückgrat Ihres Pferdes entspannt sich und die lebendige Verbindung zum Pferdemaul ist dahin.

Schritt reiten

Stellen Sie sich auf den Rhythmus ein, zählen Sie leise die Schritte mit: 1, 2, 1, 2. Sie spüren, wie der Pferdeleib nach links und rechts schwingt. Diesen Schwung müssen Sie mit Ihren Unterschenkeln verstärken: links, rechts, links, rechts. Nicht „trommeln" mit den Unterschenkeln, sondern mit den gespannten Waden abwechselnd gegen den Pferdeleib drücken, am Gurt. *Treiben* nennt man das. Und das muß ganz automatisch erfolgen — die ganze Zeit und immer, wenn Sie Schritt reiten. Nur so bekommt Ihr Pferd den

richtigen hohen und freien Schritt und Sie reiten wirklich. Andernfalls lassen Sie sich halt so von Ihrem Roß spazieren tragen — was mit Sport aber nichts gemein hat.
Spüren Sie die Bewegung des Pferdes in Ihren Hüften? Es gilt, dieses leichte Schaukeln auszugleichen. Denn Ihr Oberkörper soll ruhig bleiben. Pendeln Sie nicht bei jedem Schritt vor und zurück. Das sieht nicht nur schlecht aus, es erschwert Ihnen auch die Zügelführung! Genauso soll Ihr Gesäß ruhig und vorn im Sattel bleiben.
Pferde nicken im Schritt — die einen mehr, die anderen weniger. Wenn Sie ein perfekter Reiter geworden sind, werden Sie sich bemühen, Ihrem Pferd diese Nickbewegung, soweit es geht, abzugewöhnen. Für die nächste Zeit müssen Sie sich darauf beschränken, durch leichtes Nachgeben in Schulter, Ellbogen und Handgelenk die Verbindung zum Pferdemaul trotz dieser Bewegung zu behalten. Weder soll sich Ihr Pferd bei jedem Schritt am Zügel stoßen, noch Ihnen diesen aus der Hand ziehen.
Zwischenfrage: Sie haben doch hoffentlich nicht vergessen, daß die Knie „zu“ sein sollen — und was sonst so im Kapitel über Sitz und Haltung stand?
Zugegeben, in den ersten paar Reitstunden haben Sie genug mit sich selbst zu tun. Aber dann sollten Sie beginnen, aktiv zu reiten. Zweierlei gilt es jetzt zu erreichen: daß das Pferd seinen Rücken elastisch wölbt, damit Sie angenehmer sitzen, und daß es willig das tut, was Sie durch die Sprache der Hilfen von ihm fordern. In der Reitersprache heißt das „ein Pferd an die Hilfen stellen“. Grundvoraussetzung ist das oben erwähnte Treiben, dessen Gegenstück eine lebendige, elastische Zügelführung ist. Spielen Sie mit den Zügeln (vornehmlich mit dem inneren; der äußere soll „stehen bleiben“, also gegenhalten), nehmen Sie den Zügel an und geben Sie wieder nach, so drei-, viermal im Verlauf einer langen Seite. Wenn das Pferd anfängt zu kauen, haben Sie gewonnen. Dann ist die lebendige Verbindung zum Pferdemaul hergestellt: Ihr Pferd „steht an den Hilfen“ — zumindest was die Zügel betrifft.
Einen Trost zum Schluß: einen schönen, freien Schritt zu reiten, ist gar nicht so einfach — auch der erfahrene Reiter hat allerlei zu tun, bis das Pferd sich richtig „trägt“ und mit kraftvollen, raumgreifenden Tritten lehrbuchgerecht daherkommt.

Durchparieren zum / Halten!

Das Kommando kann auch kürzer sein: „Abteilung / Halt". Jeder Reiter bringt sein Pferd zum Stehen. Die Abstände sollen gleich groß bleiben wie in der Bewegung, eine Pferdelänge lang.
Die Hilfen zum Anhalten gleichen denen zum Anreiten:

Aufrichten und Kreuz anspannen,
mit beiden Schenkeln am Gurt drücken,
beide Zügel (abwechselnd) annehmen (und nachgeben; falls nötig, wiederholen).

Sie sehen, beim Anreiten haben Sie durch leichtes Nachgeben mit den Zügeln die entstehende Bewegung „nach vorn hinausgelassen". Jetzt treiben Sie auch — aber durch das Annehmen der Zügel wird der Schwung aufgehalten, bis das Pferd steht. Legen Sie sich nicht wie ein Bierkutscher nach hinten und zerren Sie nicht an den Zügeln. Das Annehmen geschieht durch ein abwechselndes Eindrehen der Fäuste: links — rechts. Wenn nötig, wiederholen; aber weich und lebendig bleiben mit den Fäusten! Motto: im Ziehkampf ist das Pferd sowieso stärker.
Dieses Durchparieren zum Halten nennt man eine *ganze Parade*. Vergessen Sie dabei auch die treibenden Hilfen nicht. Erst wenn das Pferd steht, werden Hand, Sitz und Schenkel „leicht".
Ihr Pferd soll im Halten auf allen vier Beinen stehen, sie alle gleichmäßig belasten. Sowohl die Vorderbeine als auch die Hinterbeine sollen nebeneinander stehen. Die Hinterbeine müssen möglichst weit untertreten (also weit vorn stehen). Beim Halten sollen Sie das Gefühl haben, Ihr Pferd wird vorn größer. (In Wirklichkeit ist es durch das geforderte „Untertreten" hinten niedriger geworden.) Falsch ist es, „auf der Vorhand zu parieren" — also durch bloßes Ziehen am Zügel.
Die *halbe Parade* ist mit der ganzen eng verwandt. Halb heißt sie nur deswegen, weil das Pferd dabei nicht zum Stehen gebracht wird. „Halb" oder „ganz" ist also ausschließlich vom Erfolg her gesehen, den Sie erzielen sollen. Und je nach Situation und Pferd nimmt man bei der ganzen und ebenso bei der halben Parade entweder beide Zügel gleichzeitig an oder abwechselnd, gibt man sie einmal oder mehrmals hintereinander. Das ist Sache des Gefühls und der Erfahrung. Auf keinen Fall stur am Zügel ziehen, sondern

immer annehmen und wieder nachgeben. Und bitte, vergessen Sie über dem Spiel mit den Zügeln nicht die Einwirkung mit Kreuz und Gesäß!

Die halbe Parade hat den Zweck, das Pferd in eine niedrigere Gangart zu versetzen — also vom Galopp in den Trab, vom Trab in den Schritt. Sie verbessern damit außerdem Tempo und Haltung in den einzelnen Gangarten: Das Pferd „stellt sich vermehrt an die Hilfen", es wird aufmerksamer. Deswegen geben Sie auch jedesmal eine halbe Parade, bevor Sie etwas Neues von Ihrem Pferd verlangen. Die halbe Parade ist für das Pferd so eine Art Ankündigungskommando: Mein Reiter will etwas von mir.

Anreiten erfolgt dann wieder auf den Zuruf „Abteilung / marsch".

Abteilung im Arbeitstempo / Trab!

Die Hilfen zum Antraben aus dem Schritt sind die gleichen wie die zum Anreiten. Heißt es also „Abteilung im Arbeitstempo", so geben Sie eine halbe Parade. Und auf „Trab" spannen Sie Ihr Kreuz noch mehr an, treiben kräftig mit den Unterschenkeln (Gerte erlaubt, aber nicht Bedingung!) und geben gleich darauf in beiden Zügeln nach, damit der erste Trabtritt „heraus kann".

Beim Antraben aus dem Halten müssen Ihre treibenden Hilfen so kräftig und eindeutig sein, daß wirklich schon der erste Tritt ein Trabtritt ist. In den ersten Stunden wird das noch nicht ganz klappen. Aber spätestens nach 3 Schritten sollte das Pferd traben.

Die Abteilung darf beim Antraben genausowenig „auseinanderfallen" wie beim Anreiten. Und auch während des Trabens sollen die Abstände eingehalten werden. Im Trab können Sie Takt und Schrittweite sogar leichter beeinflussen als im Schritt — durch verstärktes Treiben oder stärkeres Annehmen der Zügel (halbe Parade), je nachdem.

Zunächst soll der Trab „ausgesessen" werden. Das heißt, Sie sollen bei jedem Sprung weich und elastisch im Sattel sitzen bleiben. Wie jeder Anfänger werden Sie im Trab zunächst geworfen. Die Ursachen stehen oben auf Seite 39, und ebenso, wie dem beizukommen ist. Eines Tages sollen Sie so geschmeidig zu Pferd sitzen,

daß Sie im Trab ein halbvolles Glas Wasser ohne Gefahr vor sich her tragen können. Zugegeben: das braucht eine Weile.
Um es noch einmal zu sagen: Bitte machen Sie sich nicht steif, sitzen Sie so gelöst wie möglich, versuchen Sie, den Rhythmus des Trabens zu fühlen. Halten Sie Ihre Fäuste unter Kontrolle (und die Ellbogen an der Hüfte). Versuchen Sie, Ihre Unterschenkel so ruhig wie möglich zu halten, ohne sich jedoch anzuklammern (Absatz tief !). Der Oberkörper soll ruhig bleiben.
Damit Sie merken, ob Ihr Pferd tatsächlich auf Ihre Hilfen reagiert oder ob es mehr dem Herdentrieb folgt, läßt Ihr Reitlehrer die Abteilung Schritt gehen und verlangt, daß nur der jeweils erste einzeln antrabt oder angaloppiert. Jetzt kommt's drauf an! Geben Sie energisch die entsprechenden Hilfen, nehmen Sie — zumal am Anfang, wenn's mit dem Sitz noch nicht so hundertprozentig klappt — auch ruhig die Gerte zu Hilfe. Bitte weder den Bauch einziehen, noch nach vorn fallen, noch die Zügel durchhängen lassen — um die drei häufigsten Fehler zu nennen.
Auch im Trab dürfen Sie die treibenden Hilfen nicht vergessen. Ihre Schenkel treiben jetzt gleichzeitig (also nicht wie im Schritt abwechselnd). Das Kreuz ist angezogen. Bleiben Sie aufrecht.
Eine besondere Klippe kommt, wenn Sie von hinten an der Abteilung vorbeireiten sollen. Ihr Pferd würde sich am liebsten gleich hinten „anhängen“. Nehmen Sie also schon vorher alle Energie zusammen, treiben Sie das Roß energisch an seinen Stallgefährten vorbei. Und wenn Sie den inneren Zügel annehmen, um an der Abteilung vorbeizukommen, müssen Sie mit dem anderen „gegenhalten“.

Leichttraben!

Leichter geht's beim Traben, wenn Sie den Trab nicht „aussitzen“, sondern sich beim einen Trabtritt etwas aus dem Sattel heben und sich beim nächsten wieder setzen. Eins — zwei — auf — ab. Wenn Sie das Leichttraben erstmal 'raus haben, sieht das Leben wieder viel gemütlicher aus. Das Leichttraben erscheint so simpel und macht dem Anfänger doch immer wieder ungeheure Schwierigkeiten. Fühlen Sie sich zunächst ganz in den Rhythmus der Trabtritte ein, zählen Sie mit: eins — zwei — eins — zwei. Und dann heben Sie bei jedem „eins“ Ihr Gesäß etwas aus dem Sattel. Bei „zwei“ sind Sie wieder unten. Beim Heben genügen ein paar Zentimeter. Je unauffälliger das Aufstehen ist, desto eleganter wirkt es. Drücken Sie beim Aufstehen die Knie besonders kräftig gegen den Sattel. Dann geht's leichter.

Auch der erfahrene Reiter trabt immer wieder leicht: am Anfang der Stunde, um sein Pferd zu lösen, und im Gelände, wenn größere Strecken im Trab zu bewältigen sind. Leichttraben schont Pferd und Reiter.

Eine kleine Klippe ist die Frage, auf welchem Fuß man trabt. Die Regel will, daß man in der Bahn auf dem inneren Hinterfuß trabt. Das heißt, der Reiter hebt und senkt sich im selben Rhythmus wie dieser. Nun sehen Sie den inneren Hinterfuß allenfalls, wenn Sie vor dem Spiegel vorbeireiten. Halten Sie sich statt dessen an seinen diagonal gegenüberliegenden Partner in der Bewegung: an den äußeren Vorderfuß. Seine Bewegung erkennen Sie am Schulterblatt vor Ihrem Sattel. Wenn es nach vorn geht, müssen Sie aufstehen. Schon bald wird Ihnen ein rascher Blick genügen, um festzustellen, ob Sie richtig leichttraben oder ob Sie einmal aussitzen, sich also einen Trabtritt im Sattel werfen lassen müssen, damit wieder alles stimmt. Dieses *Umsitzen* gehört, ähnlich wie das Umstellen, jedesmal zu Ihrem Programm, wenn ein Handwechsel erfolgt, wenn Sie also von der linken auf die rechte Hand wechseln oder umgekehrt. (Gerte wechseln nicht vergessen!)

Geben Sie acht, daß Ihr Pferd beim Leichttraben nicht „auseinanderfällt“, d. h. an Spannung und Elastizität verliert. Weiches Aufstehen und Einsitzen in den Sattel hilft zu einer ruhigen Handhaltung. Vor allem: lassen Sie sich beim zweiten Takt nicht in den Sattel plumpsen, sondern bleiben Sie elastisch, machen Sie auch beim Niedersetzen die Knie zu. Bleiben Sie vorn im Sattel.

Aussitzen!

Auf diesen Zuruf hin muß wieder jeder Trabtritt ausgesessen werden. Hoffen wir, daß durch das Leichttraben zuvor Pferd und Reiter so viel Freude an der Bewegung gefunden haben, daß auch dieser Teil des Trabens von beiden Beteiligten elastisch und federnd bewältigt wird.

Bild 20. Tritte über Cavaletti

Cavaletti

Die Cavaletti (auf deutsch: Bodenrick) sind etwa 3 m lange Holzstangen, die durch kleine Balkenkreuze an ihren Enden rund 20 cm hoch liegen. Man legt sie — meist zu mehreren hintereinander — quer über den Hufschlag. Beim Darüberreiten sind die Pferde gezwungen, ihre Hufe höher als sonst zu heben. Die Cavaletti fördern also schwungvolle, hohe, ausgeprägte Gänge.
Man reitet im Schritt oder im Trab darüber. Je nach der Gangart haben die Stangen 1,00 bzw. 1,30 m Abstand. Der Reiter sitzt aufrecht, schaut geradeaus, macht sich schwer im Sattel und unterstützt das Heben besonders der Hinterbeine durch kräftig treibende Schenkelhilfen.

Abteilung im Arbeitstempo Galopp / marsch!

Galopp ist angenehmer zu reiten als Trab. Man läßt den Anfänger schon nach wenigen Stunden galoppieren. Die Freude am größeren Tempo und an dem weicheren Sitzgefühl soll ihm über die anfängliche Enttäuschung beim Traben hinweghelfen. Auch für den Galopp gilt: Bitte nicht steif machen, sondern sich elastisch der Bewegung des Pferdes anpassen. Fallen Sie nach jedem Galoppsprung wie ein Mehlsack in den Sattel, macht sich Ihr Pferd steif, siehe Seite 39. Solange Sie noch nicht so elastisch mit den Bewegungen mitgehen, daß Sie wirklich „am Sattel kleben", sollten Sie versuchen, ihn bei jedem Galoppsprung von hinten nach vorn mit Ihrem Gesäß „auszuwischen". Das soll Sie aber nicht zu wilden Schaukelbewegungen veranlassen. Ähnlich wie beim ausgesessenen Trab soll Ihr Oberkörper ruhig bleiben; die Bewegung des Pferdes wird in der Hüfte ausgeglichen.

Außer mit der üblichen halben Parade müssen Sie Ihr Pferd auf das Angaloppieren besonders vorbereiten. Während nämlich das Pferd in Schritt und Trab in sich gerade ist und sich symmetrisch bewegt, ist es beim Galoppieren etwas gekrümmt (reiterlich besser gesagt, es ist nach innen „gestellt"), auf der linken Hand nach links und auf der rechten Hand nach rechts. Deswegen nehmen Sie jetzt den äußeren Schenkel verwahrend zurück, während der innere treibend am Gurt bleibt. Sie sitzen also auf dem Pferd, als wenn Sie einen Schritt machten. Gleichzeitig nehmen Sie Ihre innere Hüfte vor und setzen sich verstärkt auf den inneren Gesäßknochen (Vorsicht, nicht einknicken). Der innere Zügel wird etwas angenommen. Druck mit Kreuz und Schenkeln — zugleich den inneren Zügel etwas nachgeben — jetzt sollte der erste Galoppsprung kommen. Wenn Ihre Galopp-Hilfen zu plötzlich kommen, klappt das Angaloppieren meistens nicht.

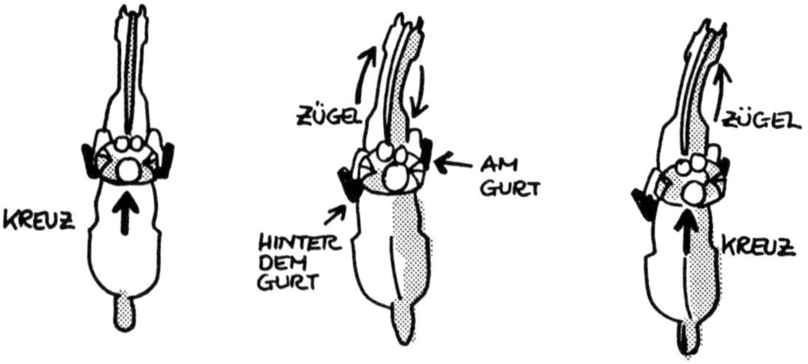

1. Halbe Parade 2. Rechts gestellt 3. Angaloppieren

Bild 21. Die Hilfen zum Angaloppieren beim Rechtsgalopp

Prüfen Sie von sich aus, ob Ihr Pferd auf der richtigen Hand angaloppiert ist. Wenn Sie's noch nicht im Sitz spüren, wie das Pferd sich biegt bzw. in welcher Folge die Hinterfüße treten, gebe ich Ihnen einen Tip: Schauen Sie nach dem inneren Vorderfuß. Er greift nämlich weit nach vorn und kommt so noch gerade in Ihr Blickfeld. Erscheint da also beim zweiten Takt des Galoppsprungs kein Vorderbein, ist Ihr Pferd auf der falschen Hand angesprungen, Kontergalopp. Parieren Sie zum Trab oder Schritt durch, stellen Sie das Pferd von neuem nach innen und galoppieren Sie wieder an. Beim Abteilungsreiten müssen Sie zum Durchparieren natürlich auf den zweiten Hufschlag!

Ich persönlich halte es für richtiger, das Angaloppieren zunächst aus dem Schritt zu üben. Aus dem Trab ist die Versuchung zu groß, das arme Pferd einfach so lange irgendwie anzutreiben, bis es schließlich dann doch in den Galopp fällt. Üben Sie das Angaloppieren also auch beim Einzelreiten hauptsächlich aus dem Schritt. Trabt Ihr Pferd, statt zu galoppieren, haben Sie auf irgendeine der Hilfen zu wenig Wert gelegt. Ich wiederhole:

halbe Parade zum Aufmerksammachen;
Pferd in die Biegung stellen, äußerer Schenkel zurück, innere Hüfte vor;
inneren Zügel etwas annehmen;
dann Druck mit Kreuz und Schenkeln, mit dem inneren Zügel nachgeben.

Um das Pferd im Galopp zu halten (um zu vermeiden, daß es in den Trab „ausfällt"), ist das wichtigste der Sitz. Die innere Hüfte muß vorn bleiben, der rechte Schenkel hinten. Lassen Sie den äußeren Zügel anstehen und geben Sie mit dem inneren im Rhythmus der Galoppsprünge jeweils etwas nach. Sie müssen mit beiden Zügeln die Verbindung zum Pferdemaul behalten. Schulmäßig will jeder Sprung einzeln „herausgeritten" sein; also jeweils Druck mit dem inneren Schenkel. „Galoppieren im leichten Sitz" s. S. 112.

Heißt es „Durch die Bahn / wechseln", so gehört dazu auch der (einfache) *Galoppwechsel* (es sei denn, es wird ausdrücklich befohlen, Sie sollten auf der bisherigen Hand weiter galoppieren). Um den Galopp zu wechseln, parieren Sie in der Mitte der Bahn zum Schritt (nicht nur zum Trab!) durch, reiten eine Pferdelänge Schritt, stellen dabei Ihr Pferd um und galoppieren von neuem an (und

also auf der anderen Hand). Lassen Sie sich Zeit. Überhastet klappt der Galoppwechsel bestimmt nicht. Beim Galoppwechsel in der Abteilung vergrößern Sie den Abstand vorher etwas, um „Auffahrunfälle“ zu vermeiden. „Fliegender Galoppwechsel“ s. S. 103.
Auch aus dem Galopp kann man zum Halten durchparieren. Nur ist jetzt der Bremsweg länger als beim Trab. Also, wenn es heißt „Durchparieren zum —“, wissen Sie, daß jetzt gleich entweder „Trab“ oder „Schritt“ oder „Halt“ kommt und können, wenn nötig, Ihren Abstand zum Vordermann korrigieren.

Langer Zügel – hingegebener Zügel

Im ersten Teil der Stunde haben Sie sich bemüht, durch entsprechende Zügelführung das Pferd zu veranlassen, den Kopf zu senken und sein „Kinn anzuziehen“. Durch die Biegung der Halswirbelsäule sollte der Rücken Ihres Pferdes elastischer werden. Je williger das Pferd seinen „Hals hergibt“, desto weicher können Sie mit der Hand werden. Druck erzeugt Gegendruck — und Nachgiebigkeit soll mit Nachgiebigkeit belohnt werden: Der Zügel wird länger, das Pferd „sucht nach unten“. Aber es muß dennoch am Zügel gehen, die Verbindung zum Pferdemaul darf nicht verlorengehen. Sonst müssen Sie beide (!) Zügel wieder nachfassen.
Anders der losgelassene, der *hingegebene Zügel:* ab und zu legt die Abteilung (oder der einzeln Reitende) eine Entspannungspause ein. Jetzt dürfen die Zügel durchhängen. Die treibenden Hilfen setzen aus, und ein paar Minuten lang schlendern die Pferde völlig gelöst und „auseinandergefallen“ hintereinander drein. Dann heißt es „Zügel bitte wieder aufnehmen“ — und weiter geht's.
Da wir gerade von den Zügeln sprechen: ab und zu müssen Sie beide *Zügel in eine Hand nehmen,* etwa beim Nachgurten oder beim Verschnallen der Bügel vom Sattel aus, oder damit Sie Ihrem Pferd nach einem guten Sprung lobend den Hals klopfen können. Dabei nehmen Sie beide Zügel in die linke Faust und klopfen mit der rechten Handfläche die linke Halsseite Ihres braven Pferdes. Nehmen Sie den zweiten Zügel so in die Hand, daß das zur Trense führende Ende oben aus Ihrer Faust herauskommt. So können Sie nämlich durch entsprechendes Drehen der Zügelfaust auf beide Zügel verschieden einwirken.

Die Bahnfiguren

Schon in Ihren allerersten Reitstunden wird von Ihnen verlangt, in der Reithalle bestimmte „Wege“ einzuhalten. Das beschränkt sich anfangs auf ein paar Begriffe. Aber im Laufe der Zeit wird Ihr Repertoire an solchen Bahnfiguren immer größer werden. Prägen Sie sich bitte von Anfang an ein, wie sie heißen und wie man sie reitet. Solange Sie noch irgendwo im letzten Drittel der Abteilung zu finden sind, haben Sie dazu Muße genug. Eines Tages sollen Sie aber die Abteilung anführen — und dann müssen Sie ohne Zögern wissen, was der Reitlehrer mit seinen Zurufen meint. Wie bei den Kommandos, die die Gangarten betreffen, gibt es auch hier die Teilung in Ankündigungs- und Ausführungskommando mit der kleinen Denkpause dazwischen (im Text durch / markiert).

„Ganze / Bahn!“ bedeutet auf dem Hufschlag reiten, immer an der

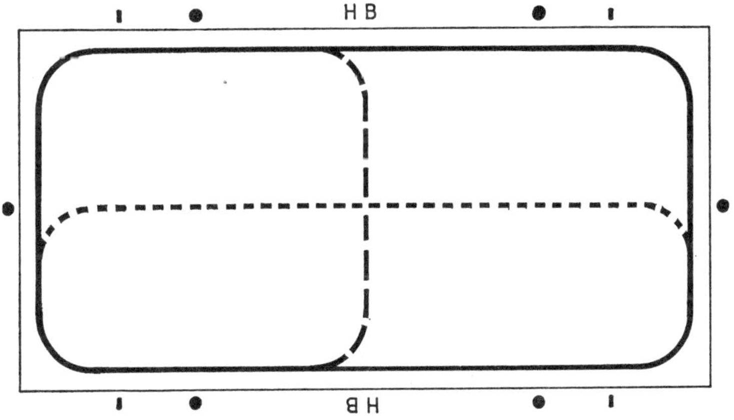

Bild 22. Die aus dem Viereck abgeleiteten Bahnfiguren
Ganze Bahn
Halbe Bahn
Durch die Länge der Bahn

Wand entlang. Dabei ist vor allem wichtig, daß man die *Ecken ausreitet,* sie also nicht im weiten Bogen abschneidet, sondern sein Pferd tief in die Ecke hineinführt und dann einen Viertelkreis von nur drei Schritt Radius reitet.

Zwei Dinge sind dazu notwendig. Sie müssen Ihr Pferd zunächst so lange wie möglich gerade halten (falls nötig, geben Sie ihm dazu am äußeren Zügel eine halbe Parade) und es dann „um Ihren inneren Schenkel biegen". Wie das mit dem Geradeaus-Reiten ist, wissen Sie. Jetzt also zur Biegung, die ja schon beim Galopp eine Rolle gespielt hat.

Sie erinnern sich, was ich bei der Erläuterung der Hilfen über die Parallelität von Schultern und Hüften bei Pferd und Reiter gesagt habe. Nehmen wir an, Sie reiten auf der linken Hand. Sie müssen Ihr Pferd um den inneren Schenkel biegen, jetzt also um den linken: Drehen Sie dazu die linke Faust ein, geben Sie aber rechts nicht nach; der rechte Zügel soll, wie man sagt, „stehenbleiben". Nehmen Sie gleichzeitig den äußeren (jetzt rechten) Schenkel eine Handbreit hinter den Gurt; treten Sie den linken, den inneren Bügel stärker aus.

Der Sinn dieser Zügelhaltung und der Gewichtsverlagerung leuchtet Ihnen sofort ein. Der zurückgenommene äußere Schenkel soll „verwahrend" wirken, d. h. den äußeren Hinterfuß auf dem Hufschlag halten. Ohne diese „Bremse" würde Ihr Pferd auch im Schritt ähnlich wie ein schleuderndes Auto durch die Kurve rutschen. Im Trab und im Galopp würde das noch ärger. — Und der (vermehrt!) treibende innere Schenkel soll sowohl den Schwung des freien Schrittes erhalten, als auch der Tendenz des Pferdes entgegenwirken, die Ecke trotz der Biegung abzuschneiden.

Bitte denken Sie daran: Auch wenn der Reitlehrer Sie nicht eigens dazu auffordert, müssen Sie jede Ecke exakt ausreiten.

„Halbe / Bahn!". Wenn dieses Kommando ertönt, biegt die Abteilung bei H an der Mitte der langen Seite ab, reitet genau senkrecht auf das gegenüberliegende H zu und biegt dort wieder in die alte Richtung ein. Das schulgerechte Abwenden ist jetzt ein bißchen schwerer, weil die Führung durch die kurze Seite fehlt.

„Durch die Länge der Bahn / geritten!". Bei dieser Figur wendet man sein Pferd an der Mitte der kurzen Seite vom Hufschlag ab

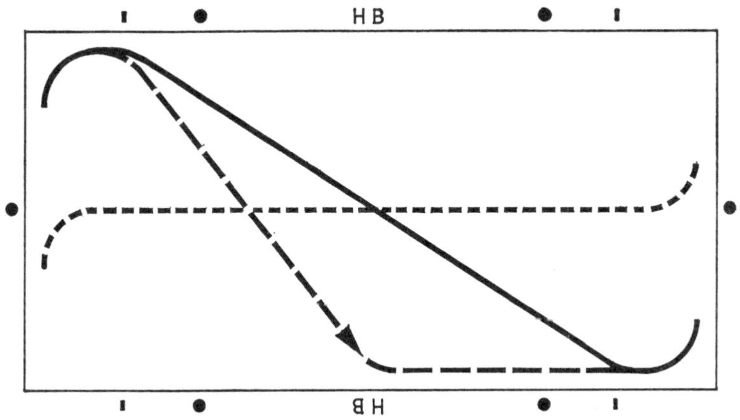

Bild 23. Handwechsel im Viereck
Durch die ganze Bahn wechseln
Durch die halbe Bahn wechseln
Durch die Länge der Bahn wechseln

und reitet kerzengerade auf der Längsachse der Bahn zur kurzen Seite gegenüber. Was dabei geübt werden soll? Dies ist der Prüfstein dafür, ob Sie Ihr Pferd wirklich geradeausreiten können. Wenn Sie auf den großen Spiegel zureiten, werden Sie feststellen, daß das gar nicht so einfach ist, wie Sie sich's vorgestellt haben.

Jetzt kommt ein neuer Begriff ins Spiel: *Wechseln,* genauer gesagt, „die Hand wechseln". Reiten Sie nämlich im Uhrzeigersinn, dann reiten Sie „auf der rechten Hand", in umgekehrter Richtung „auf der linken Hand". Wenn Sie jemand zusehen, der sein Pferd an der Longe im Zirkel um sich herumlaufen läßt, werden Ihnen diese Bezeichnungen sofort verständlich. Man benennt die Drehrichtung nämlich nach der Hand, die das Pferd an der Longe führt, während die andere die Peitsche hält. Vergessen Sie das Umsitzen nicht, wenn Sie beim Leichttraben die Hand wechseln. Lassen Sie sich dazu vor Erreichen des neuen Hufschlags einmal „werfen" (das heißt, sitzen Sie einen Trabtritt aus), dann stimmt's wieder. Zur Kontrolle werfen Sie einen Blick auf die äußere Pferdeschulter! — Wenden wir also das Wechseln zunächst auf die Bahnfiguren an, die sich aus dem Viereck entwickeln lassen.

„Durch die ganze Bahn / wechseln!". Da wendet man an dem Strich 6 m nach der Ecke ab, durchquert die Halle (ohne Schlangenlinien!) und geht beim diagonal gegenüberliegenden Wechselpunkt (der ja auch ein Strich ist) wieder auf den Hufschlag. Wichtig: vor und nach der Diagonalen tief in die Ecke hinein! Das wird desto schwieriger, je weiter hinten man in der Abteilung reitet und je höher die Gangart ist.

„Durch die halbe Bahn / wechseln!" geschieht entsprechend, nur muß man jetzt schon beim gegenüberliegenden H ankommen. Abgewendet wird am Strich (Wechselpunkt), siehe oben.

„Durch die Länge der Bahn / wechseln" ist dasselbe wie „Durch die Länge der Bahn / geritten", nur daß man jetzt an der kurzen Seite gegenüber in die entgegengesetzte Richtung abbiegt.

Allen Wechselfiguren gemeinsam ist, daß man, kurz bevor man auf den neuen Hufschlag kommt, die *Gerte wechseln* muß. Sie gehört, wie Sie wissen, in die innere Faust. Gesetzt den Fall, Sie wechseln von der linken auf die rechte Hand, dann nehmen Sie den rechten Zügel auch noch in die linke Hand, ziehen mit der Rechten die Gerte nach oben aus der linken Faust und nehmen dann den rechten Zügel wieder auf. Üben! — es ist ganz einfach.

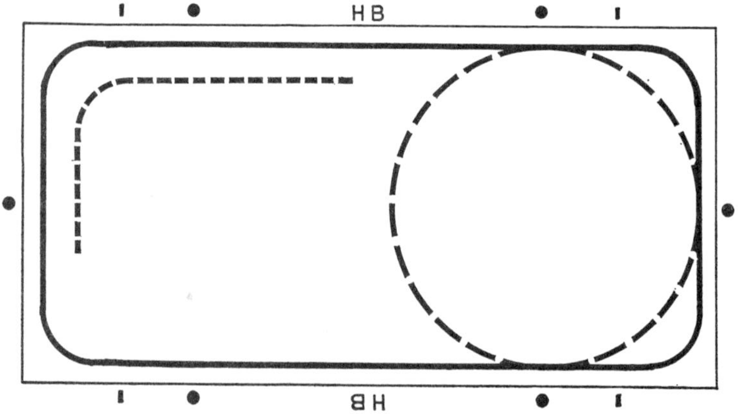

Bild 24. Ganze Bahn und Zirkel

——— Der Hufschlag (ganze Bahn)

— — — Der Zirkel

- - - - Der zweite Hufschlag verläuft 1,5 m weiter innen

Falls das Wechseln im Leichttraben geschieht, müssen Sie „umsitzen“, d. h. sich einmal werfen lassen!

„Auf dem Zirkel / geritten!“ verlangt einen gleichmäßig gebogenen Kreis, der exakt an den drei Zirkelpunkten der Bande vorbeiführt. Für den vierten Punkt, in der Mitte der Bahn, gibt es manchmal auch einen Anhalt: eine Lampe oder einen Lautsprecher. Der Übergang vom Rechteck in den Kreis erfolgt von dem Zirkelpunkt nach Durchreiten der zweiten Ecke aus. Die Tête biegt in die Kreisbahn ab, wenn sie den ersten Zirkelpunkt einer langen Seite erreicht hat. Und alle anderen Reiter ebenso. Also bitte, bis zu diesem Punkt sind noch alle Ecken auszureiten.
Sie müssen Ihr Pferd etwas um den inneren Schenkel biegen. Nicht bloß am Zügel ziehen! Schenkel und Gewicht sind ebenso wichtig. Und einer guten alten Definition zufolge sollen Sie beim links (bzw. rechts) gebogenen Pferd ja auch nur sein linkes (bzw. rechtes) Auge „schimmern sehen“. Jede stärkere Biegung im Hals des Pferdes wäre von Übel, das Pferd liefe nach außen weg.
Beim Eckenausreiten war das keine Gefahr. Da hat die Bande das Pferd am Weglaufen gehindert. Doch jetzt, bei der offenen

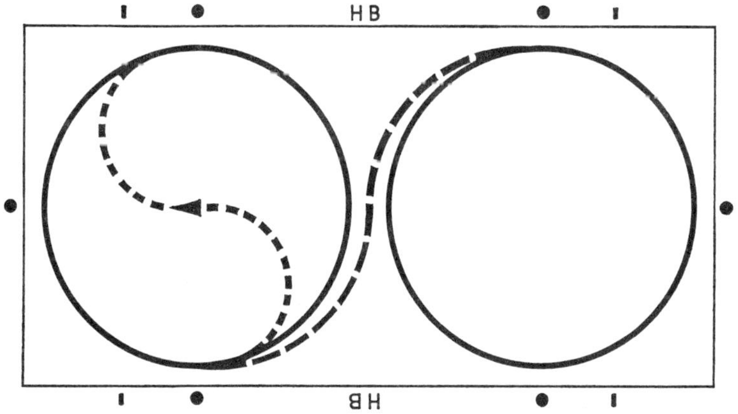

Bild 25. Zirkelfiguren
——— Auf dem Zirkel geritten
— — — Aus dem Zirkel wechseln
- - - - Durch den Zirkel wechseln

Zirkelseite, muß Ihr äußerer Schenkel verwahrend die Bande ersetzen! Gelingt es Ihnen also nicht, Ihr Pferd auf die Zirkellinie abzuwenden, dann hat Ihr äußerer Schenkel gefehlt und noch wahrscheinlicher Ihr äußerer Zügel! Ihr Pferd will nämlich an beiden Zügeln geführt sein, nicht nur an einem. Achten Sie darauf, daß der von Ihnen gerittene Zirkel wirklich ein großer, gleichmäßig gerundeter Kreis ist, der die drei Zirkelpunkte berührt. Reiten Sie nicht, wie man das bei Anfängern immer wieder sieht, mehr oder weniger passiv hinter Ihrem Vordermann drein, sondern bleiben Sie auf dem richtigen Hufschlag, auch wenn sein Pferd weit nach innen drückt.
Der Übergang vom Zirkel auf den großen rechteckigen Hufschlag erfolgt auf den Zuruf *„Ganze / Bahn!"*. Dabei soll der Zirkel von allen Reitern rund geritten werden bis zu dem Punkt, wo es an der langen Seite wieder geradeaus geht.

„Aus dem Zirkel / wechseln!" soll so aussehen, daß man exakt in der Mitte der Reitbahn von dem einen Kreis in den anderen überwechselt. Dabei reitet man drei Schritt (eine Pferdelänge) geradeaus. Währenddessen stellt man sein Pferd durch Umlegen der Schenkel, Austreten des anderen Bügels und Annehmen des entsprechenden Zügels (nachgreifen!) um und reitet nun auf der anderen Hand den Zirkel weiter. Erst wenn Sie das Umstellen einwandfrei hinter sich haben, wechseln Sie jetzt auch die Gerte.
„Durch den Zirkel / wechseln!": Das ist ein bißchen schwieriger als das Wechseln aus dem Zirkel, denn die Bogen sind wesentlich enger, das Umstellen und die Biegung des Pferdes muß entsprechend kräftiger sein. Vor allem dürfen Sie die beiden Kommandos nicht verwechseln! Man wendet am Zirkelpunkt zu Anfang der langen Seite nach innen ab, reitet ein „S" und kommt am gegenüberliegenden Zirkelpunkt wieder auf die Zirkellinie. Wichtig ist das „Umstellen" in der Mitte. Wenn Sie auf die kurze Seite zureiten, also in der Mitte der Figur, soll Ihr Pferd drei Schritte wirklich geradeausgehen, dann wird umgestellt, und am Paradepunkt der anderen langen Seite biegen Sie wieder auf die Zirkellinie ein. Beide Schleifen müssen gleich groß geritten werden. Zum Umstellen gehört auch, daß Sie den inneren Zügel nachgreifen. Machen Sie sich bitte präzise klar, was hier gefordert wird, und reiten Sie

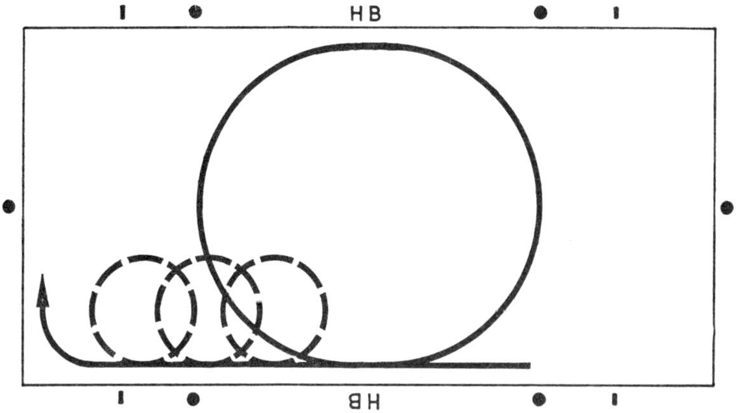

Bild 26. Großer Zirkel und Volte. Eine Volte hat 6 Schritt Durchmesser.
——— Der große Zirkel
– – – Volte 3 Pferde

diese Figur auch dann exakt, wenn Ihr Vordermann seltsame Bögen macht.

„Auf dem Großen Zirkel / geritten!". Der Mittelpunkt des Großen Zirkels liegt in der Mitte der Bahn. Deswegen kann der einzelne Reiter diesen Kreis an seinen beiden offenen Seiten etwas größer reiten, so daß eine Ellipse entsteht. Das macht man sich zum Beispiel zunutze, wenn eine Abteilung Galopp reiten soll, deren Pferde verschieden schnell sind. Dann reitet, wer auf einem stürmischen Galoppierer sitzt, seinen Zirkel größer, während weiter innen reitet, wer sein Pferd schon kürzer, versammelter, galoppieren lassen kann.

Alle bisher genannten Bahnfiguren werden im Gänsemarsch geritten, einer schön hinter dem andern. Es gibt auch Kommandos, die von allen zugleich zu befolgen sind, zum Beispiel:
„Volte / marsch!". Die Volte ist ein Kreis mit sechs Schritt Durchmesser. Sie erfordert also eine so starke Biegung wie das Eckenausreiten! Im Gegensatz zu den Zirkelfiguren, die die Abteilung einer hinter dem anderen durchreitet, biegen bei der Volte auf das Kommando „marsch" alle Reiter gleichzeitig vom Hufschlag

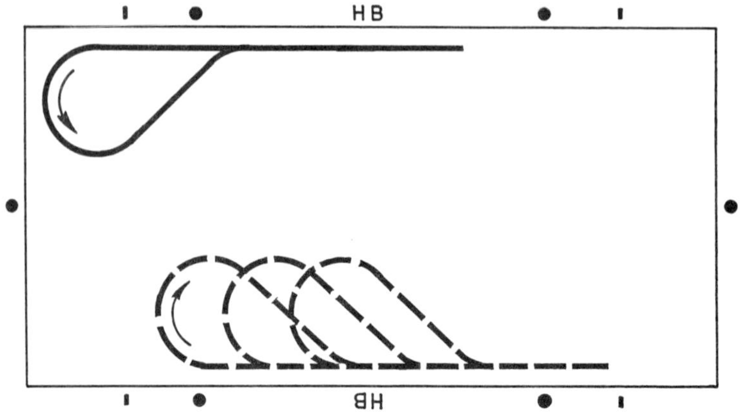

Bild 27. Kehrtwendungen in der Bewegung. Die Kreisbogen haben 6 Schritt Durchmesser.

Aus der Ecke kehrt
Abteilung kehrt

ab. Reibungslos klappt das Voltereiten nur, wenn jeder Reiter

nicht zu scharf abbiegt, sondern dem Kreis entsprechend zuerst schräg vorwärts reitet,

seine Nachbarn im Auge behält und seine Volte gleich groß reitet wie sie, und

zugleich mit der Tête wieder auf den Hufschlag kommt.

Nach einigem Üben klappt das ganz gut; anfangs im Schritt; später im Trab und eines Tages vielleicht sogar im Galopp (das allerdings nur einzeln, nicht in der Abteilung).

„Aus der nächsten Ecke / kehrt!“ wird wieder hintereinander geritten und bewirkt einen Handwechsel. Man reitet tief in die Ecke hinein und führt sein Pferd nach einer „offenen Volte“, also einem Halbkreis mit sechs Schritt Durchmesser, wieder auf den Hufschlag. Etwa neun Schritte von der Ecke entfernt sollen Sie wieder auf dem Hufschlag sein. Wichtig ist, tief in die Ecke hineinzureiten. Speziell die letzten Pferde in der Abteilung versuchen hier verbotenerweise abzukürzen. Ihr Pferd soll sich wirklich biegen, die Hinterhand darf nicht nach außen „wegrutschen“, der Schritt soll zügig bleiben. Wenn Sie wieder auf dem Hufschlag sind, wechseln Sie die Gerte.

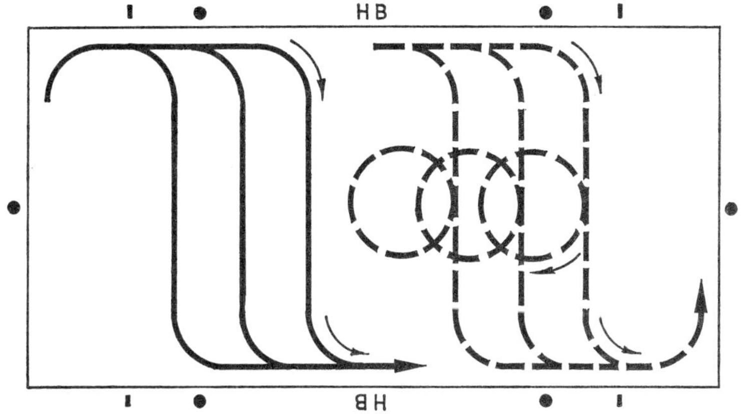

Bild 28. Wendungen in der Bewegung
——— Rechtsum marsch
— — — ... Volte marsch

„Abteilung kehrt / marsch!". Auf das Ankündigungskommando bereiten Sie das Pferd auf das Abbiegen wie zur Volte vor (halbe Parade; nach innen stellen). Auf „marsch" biegt die Abteilung gleichzeitig ab, reitet eine halbe Volte und dann schräg auf den Hufschlag zurück. Gleichzeitig mit dem Handwechsel ist jetzt der letzte Reiter der Abteilung deren Spitze geworden.
„Abteilung linksum (rechtsum) / marsch!". Auf das Kommando „marsch" wendet die ganze Abteilung gleichzeitig ab (also ähnlich wie bei „Volte marsch") und reitet auf die lange Seite gegenüber zu. Dort biegt man so auf den Hufschlag ein, daß die Tête weiterhin Tête bleibt. Konsequenz — ein Handwechsel, denn man reitet ja jetzt entgegengesetzt weiter wie am Anfang.
Ist die Abteilung gut in Übung, kann in der Mitte der Bahn noch das Kommando „Volte / marsch" kommen. Dabei reitet man diese Volte in derselben Richtung, in der man zunächst vom Hufschlag abgebogen war. Hieß es also zuerst „Abteilung linksum marsch", dann ist die Volte in Bahnmitte auch nach links zu reiten.

War bisher die exakte Abgrenzung von Geradeaus und Wendung der Sinn der Bahnfiguren, so gibt es auch eine Gruppe, die gerade

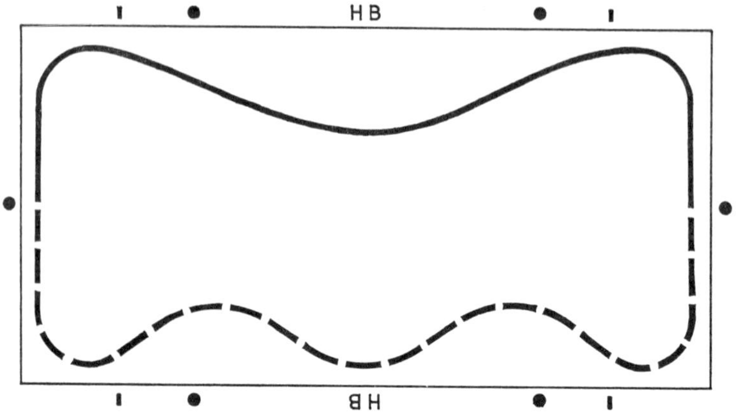

Bild 29. Schlangenlinien entlang der langen Seite
Einfache Schlangenlinien
Doppelte Schlangenlinien

den fließenden Übergang von einer Biegung in die andere zum Ziel hat: die Schlangenlinien.
„Einfache“ oder *„doppelte Schlangenlinien“* kann man sich leicht vorstellen. Sie werden entlang einer langen Wand geritten. Das Kommando heißt zum Beispiel: *„An der nächsten langen Seite*

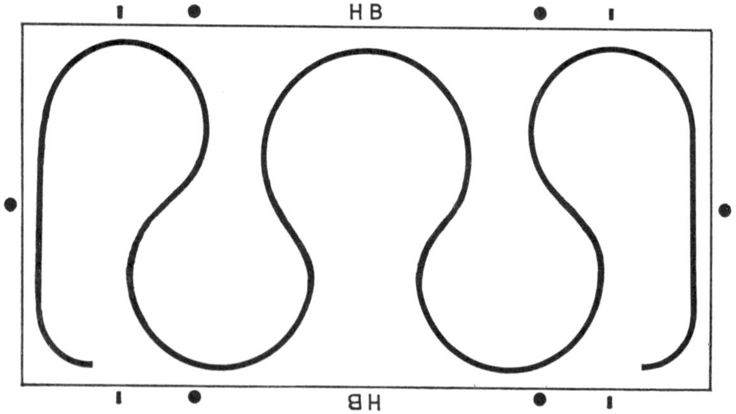

Bild 30. Schlangenlinien durch die ganze Bahn, 5 Bogen

doppelte Schlangenlinien / geritten!". Ihr Pferd muß dazu alle paar Schritt umgestellt werden. Eben daß es sich willig umstellen läßt, ist der Sinn der Übung — und außerdem soll sein Gang dabei nicht an Schwung verlieren. Also treiben und aktiv die Hilfen zum Umstellen geben: jedesmal die Schenkel umlegen (der für die jeweilige Biegung äußere Schenkel kommt zurück), das Gewicht verlagern (den jeweils inneren Bügel austreten) und den jeweils inneren Zügel annehmen. Je gelöster und williger Ihr Pferd ist, desto ausgeprägter werden diese Schlangenlinien.

„Schlangenlinien durch die ganze Bahn / fünf Bogen!". Hier werden die Bogen durch die ganze Bahnbreite geführt, sehen also

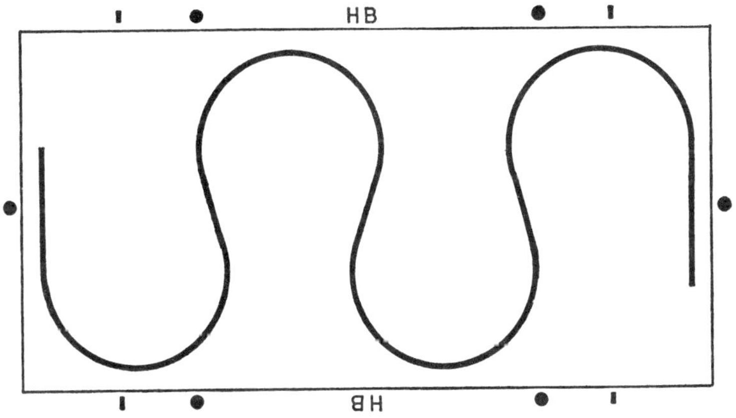

Bild 31. Schlangenlinien durch die ganze Bahn, 4 Bogen

ähnlich aus wie beim Durch-den-Zirkel-Wechseln. Die Bogen sollen groß und ausgeprägt sein; wichtig ist das Umstellen der Pferde in der Mitte. Weil die Bogen länger sind als bei der Übung vorher, sollen Sie hier den inneren Zügel jeweils nachgreifen; also ihn nicht nur annehmen, sondern ihn wirklich kürzer fassen. Auch der letzte Reiter der Abteilung soll gleichmäßige, große Bogen reiten. Die Gerte wird beim Umstellen nicht gewechselt. Wenn das Kommando „vier Bogen" verlangt, ergibt sich zum Schluß ein Handwechsel, bei dem auch die Gerte gewechselt wird.

Lassen Sie mich diesen Abschnitt mit einer eindringlichen Bitte schließen: Reiten Sie die Bahnfiguren von Anfang an aktiv und so korrekt wie möglich. Hängen Sie sich nicht einfach an Ihren Vordermann dran. Sonst erleben Sie nämlich eines Tages eine herbe Enttäuschung. Sie hatten inzwischen das Gefühl, als klappe eigentlich alles recht gut — Ihr Pferd machte brav, was die anderen auch machten. Doch dann sollen Sie einmal diese Bahnfiguren allein reiten, sollen antraben, angaloppieren und was nicht alles. Aber allein, ohne Vordermann. Und Ihr ganzer Stolz ist dahin: nichts geht mehr. Grund? Sie hatten sich dem Herdentrieb Ihres Pferdes anvertraut, statt selber zu reiten.

Rückwärtsrichten

Ein gutes Pferd geht auch rückwärts. Das Kommando dazu heißt *„Drei Tritte rückwärts richten / marsch"*. Daß man von Richten spricht, kommt vom Ausrichten, wenn eine Abteilung in einer Linie nebeneinander aufmarschiert ist und alle Pferde exakt auf gleicher Höhe stehen sollen. Die Hilfen sind dieselben wie zum Anreiten: zuerst die halbe Parade zum Aufmerksam-Machen, dann die treibende Einwirkung mit Schenkeln, Kreuz und Gesäß. Nur geben jetzt die Zügel nicht nach, um den Drang zur Bewegung „nach vorn herauszulassen", sondern sie bleiben stehen oder werden sogar noch etwas mehr angenommen (das heißt, der Reiter dreht die Fäuste etwas ein; nicht mit den Armen an den Zügeln ziehen!).
Denn was man nicht tun darf, das ist einfach am Zügel zerren. Sicher, so tritt das Pferd vielleicht auch zurück. Aber es gibt dabei bestimmt durch Kopfschlagen zu erkennnen, daß es diese Methode nicht schätzt. Sie können ihm die Tritte zurück eher dadurch erleichtern, daß Sie sich etwas im Sattel heben, also eine Kleinigkeit aufstehen, sich „leichter machen".
Schon beim Anreiten und Anhalten waren die Hilfen fast identisch. Nun kommt das Rückwärtsrichten noch dazu. Die Unterschiede liegen nur in der Zügelführung. Und eben deswegen sagt diese Übung soviel über das Können und das Zusammenspiel von Pferd und Reiter aus. So wie es „härtere" und „weichere" Pferde gibt, müssen Sie Ihre Hilfen grober oder feiner dosieren. Nimmt das

Pferd seinen Kopf hoch, haben die Zügel zu stark und die treibenden Hilfen zu schwach gewirkt. Tritt es nach der Seite, so fehlten Ihre Schenkel. Und tritt es nach vorn statt nach hinten, dann haben Sie die Zügel zu sanft geführt, sie womöglich ganz „weggeschmissen", also den elastischen Kontakt zum Pferdemaul verloren.

Drei Tritte sind — ich weiß nicht warum — das übliche Maß fürs Rückwärtsrichten. Das Pferd setzt seine Beine dabei in diagonalen Paaren, und jedes Zurücksetzen eines Beinpaares gilt als Tritt. Jeder Tritt soll einzeln geritten werden. Tritt für Tritt muß die Spannung von Schenkel, Kreuz und Zügel wachsen und wieder gelockert werden. Soll die Bewegung nach rückwärts aufhören, geben Sie etwas in den Zügeln nach; nicht zuviel, sonst tritt das Pferd nach vorn. Und das ist schon die nächste Übung: aus dem Rückwärtsrichten gleich anreiten oder antraben.

Das Rückwärtsrichten muß nicht nur in der Abteilung klappen. Da wissen altgediente Schulpferde fast von allein, was zu tun ist. Üben Sie das Rückwärtsrichten, wenn zu Beginn der Stunde noch jeder für sich reitet. Sobald Sie Ihr Pferd etwas warm geritten und gelockert haben, ist das Rückwärtsrichten eine ausgezeichnete Übung, es „an den Zügel zu bringen". Daß Sie dazu in die Mitte eines Zirkels gehen, brauche ich Ihnen nicht zu sagen.

Wendungen auf der Stelle

Wendungen auf der Stelle können auf der Vorhand oder auf der Hinterhand ausgeführt werden. Die *Vorhandwendung* ist einfacher. Sie erkennen hier zum ersten Mal im einzelnen die Wirkung von einseitigen Hilfen. Nach einer halben Parade stellen Sie das Pferd in die Richtung der Wendung; also nach rechts, wenn das Kommando hieß *„Auf der Vorhand rechtsum (oder rechtsum kehrt) / marsch"*. Fassen Sie dazu den inneren (jetzt: rechten) Zügel kürzer, nehmen Sie den äußeren (jetzt: linken) Schenkel zurück, treten Sie den inneren (jetzt: rechten) Bügel stärker aus, belasten Sie den inneren Gesäßknochen mehr, und dann treiben Sie mit ebendiesem inneren Schenkel die Hinterhand seitwärts. Das Pferd soll mit der Hinterhand um die Vorhand herumtreten; der innere (hier also der rechte) Vorderhuf soll auf derselben Stelle stehen bleiben, sich nur drehen und nicht nach vorn oder hinten treten. Der äußere Schenkel verwahrt die Bewegung der Hinterhand: er begrenzt das Herumtreten. Dieses soll Schritt für Schritt durch den seitwärts treibenden inneren Schenkel veranlaßt werden, der also auch nur dann drückt, wenn der innere Hinterfuß „abfußen" und seitwärts treten soll.

Die Vorhandwendung nach links erfolgt entsprechend spiegelverkehrt: Stellung nach links, Gewicht nach links, rechter Schenkel verwahrt, linker Schenkel treibt seitwärts. Auch hier: Tritt für Tritt — nicht das Pferd schlampig „herumwerfen". Das Pferd muß aufhören sich weiter zu drehen, sobald der innere Schenkel nicht mehr treibt!

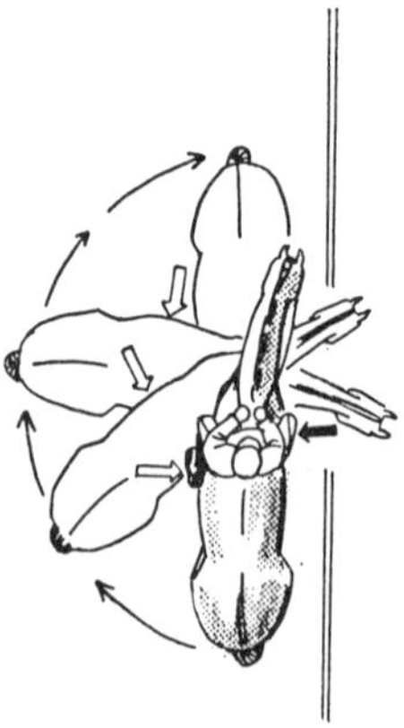

Bild 32. Die Vorhandwendung (rechtsum kehrt). Das Pferd ist „in die Wendung hineingestellt"; Drehpunkt ist der innere Vorderfuß.

Bild 33. Die Hinterhandwendung (rechtsum kehrt). Das Pferd ist „in die Wendung hineingestellt"; Drehpunkt ist der innere Hinterfuß.

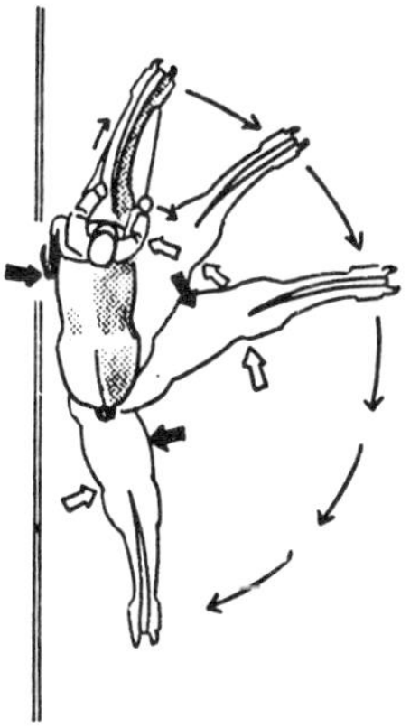

Das Pferd soll bei der Wendung weder nach vorn noch nach hinten weglaufen. Das Vortreten gilt als der schwerere Fehler. Um es zu verhindern, gibt man halbe Paraden am äußeren Zügel.

Auch für die *Hinterhandwendung* stellt man sein Pferd nach der Seite, nach der die Wendung erfolgen soll. Stellung von Pferd und Reiter sind also zu Anfang gleich, ob es nun heißt *„Auf der Vorhand rechtsum / marsch"* oder *„Auf der Hinterhand rechtsum / marsch"*. Aber während bei der Vorhandwendung der innere Schenkel der aktive ist und die Hinterhand nach außen (hier also nach links) treten läßt, gibt bei der Hinterhandwendung der zurückliegende äußere Schenkel den Anstoß, damit die Vorhand seitwärts tritt (hier also nach rechts). Außerdem muß die innere (rechte) Zügelfaust etwas nach innen genommen, also die Vorhand gewissermaßen seitwärts geführt werden. Diesmal hat Ihr innerer (rechter) Schenkel die Aufgabe, die Tritte zu begrenzen, und der innere Hinterfuß ist der Drehpunkt. Wieder soll die Bewegung exakt Schritt für Schritt „kommen" — also müssen Sie entsprechende Hilfen geben: Druck, Nachlassen, Druck ...

Hier ist das Rückwärtstreten der schlimmere Fehler. Ihr Kreuz muß also so „wachsam sein", daß Sie solche Tendenzen Ihres Pferdes geradezu vorweg ahnen und ihnen durch vermehrtes Anspannen des Kreuzes entgegenwirken.

Bitte achten Sie bei Vorhand- und Hinterhandwendungen genau auf die Kommandos. Sie dürfen nicht nur nicht rechts und links verwechseln, sondern müssen auch aufpassen, ob es nur „Rechtsum" oder „Rechtsum kehrt" heißt, bzw. „Linksum" oder „Linksum kehrt". Denn im einen Fall ist nur eine Wendung im rechten Winkel gemeint — und im anderen Fall sollen Sie kehrtmachen, sich also um 180 Grad drehen.

Wendungen in der Bewegung

Diese Überschrift gibt es eigentlich nur wegen der Systematik. Das vorhergehende Kapitel „Wendungen auf der Stelle“ verlangt nach dieser Ergänzung. Aber wie man in der Abteilung oder auch einzeln linksum oder rechtsum reitet, steht schon auf Seite 71. Und deswegen ist hier nur noch eine Übung zu besprechen: Kurzkehrt / marsch.

Kurzkehrt / marsch

Diese Übung ist eng mit der Hinterhandwendung verwandt. Nur erfolgt diese Wendung nicht aus dem Halten, sondern aus der Bewegung. Man pariert zum Schritt durch, macht eine Hinterhandwendung und reitet sofort entgegengesetzt weiter. Obwohl hier die Wendung aus der Bewegung erfolgt, soll sie genauso exakt ausgeführt werden wie die normale Hinterhandwendung.

Durcheinanderreiten

Das ist nicht der Fachausdruck für das Tohuwabohu nach dem ersten Kommando „Abteilung Galopp / marsch“, sondern die Regelung, bei der mehrere Reiter sich selbständig in der Bahn beschäftigen und jeder etwas anderes übt. Wenn also keine Abteilung gebildet wird.

Gemeinsam ist, daß alle auf derselben Hand reiten, auch wenn einige Schritt reiten und andere traben oder galoppieren. Nach einiger Zeit kommt dann der Zuruf *„Bitte Handwechsel“* — und nun geht's auf der anderen Hand weiter. Wie der Handwechsel geritten wird, ist jedem überlassen, nur überhören sollten Sie diese Bitte nicht. Sonst gibt's doch noch das oben beschworene Durcheinander.

Wer Schritt reitet, während ein anderer trabt (oder galoppiert), nimmt dazu den zweiten (den inneren) Hufschlag. *„Bitte Hufschlag frei“* ruft man dem zu, der das vergessen hat. Zwischen Trab und Galopp gibt es keine solchen Prioritäten — wer rascher reitet, überholt auf der Innenseite, also auf dem zweiten Hufschlag.

Wer halten will, geht vorher auf den dritten Hufschlag oder besser noch in die Mitte eines Zirkels. (Nicht in die Bahnmitte, da stört er die Zirkel-Reiter.)

Sind nur wenige Reiter in der Bahn, kann auch auf beiden Hufschlägen geritten werden. Beim Begegnen bleibt dann der, der auf der linken Hand reitet, auf dem Hufschlag und der andere weicht aus. Das gilt auch, wenn der Reiter, der auf der rechten Hand reitet, trabt und der Entgegenkommende Schritt reitet. Die linke Hand hat „Vorritt“. Außerdem muß, wer Zirkel reitet, dem, der „ganze Bahn“ reitet, ausweichen bzw. den Hufschlag freigeben.

Im übrigen gilt zu Pferde noch mehr als im Auto: Höflichkeit und Rücksicht sind höher zu schätzen als das Beharren auf der „Vorfahrt“.

Reiten in der Abteilung

Nehmen wir an, zu Beginn der Stunde hätte jeder Reiter sein Pferd selbständig dirigiert, es warm geritten oder — wie die Reiter sagen — gelöst. Jetzt soll eine Abteilung gebildet werden, also einer hinter dem andern im Gänsemarsch reiten. Das Kommando dazu heißt „Abteilung bilden im Schritt, Anfang Herr Müller". Herr Müller ist also Tête, der Spitzenreiter. Er hebt den rechten Arm und ruft „Anfang hier". Denn vielleicht haben Sie bisher nicht genau gewußt, wer Herr Müller ist. Oft ruft der Reitlehrer nicht die Namen der Reiter, sondern die der Pferde. Merken Sie sich also, auf wem Sie sitzen!

Anschließend heißt es dann weiter: „Zweiter Herr Schmidt, dritter Frau Schulze usw.". Zählen Sie mit, damit Sie wissen, an wievielter Stelle Ihr Platz in der Abteilung ist.

Die Abteilung soll im Schritt gebildet werden. Das heißt, jeder reitet weiter im Schritt (nicht stehen bleiben!) und sucht auf kürzestem Weg seinen Platz.

Der Abstand von Pferd zu Pferd beträgt üblicherweise eine Pferdelänge. Zwischen Ihnen und Ihrem Vordermann muß also noch ein ganzes Pferd Platz haben. Reiten Sie nicht zu dicht auf! Denken Sie ans Abstandhalten beim Autofahren. Dabei keilen Autos nicht einmal aus, wenn man ihnen zu nahe kommt.

Es kann aber auch vorkommen, daß Sie den Anschluß zu verlieren drohen und Sie mit Treiben allein den zu groß gewordenen Abstand zum Vordermann nicht rasch genug verringern können. Dann *kürzen Sie ab:* reiten Sie die nächste oder die nächsten beiden Ecken nicht aus; das kann Sie fast eine ganze Pferdelänge nach vorn bringen. Ist der Abstand noch größer, dann biegen Sie schon einige Schritte vor der kurzen Seite ab und reiten parallel zu ihr — Sie tun einfach so, als ob die Reitbahn um einige Meter kürzer wäre. Dabei sollen allerdings die „Ecken" wieder exakt geritten werden, also mit engen Bogen. Kürzt Ihr Vodermann auf diese Weise seinen Weg ab, so müssen Sie natürlich dasselbe tun.

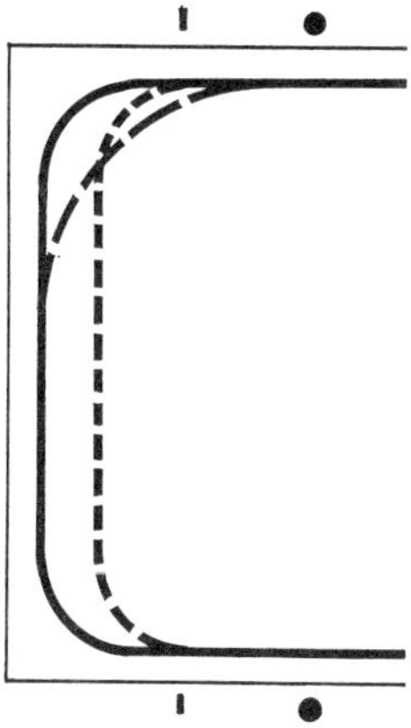

Bild 34. Ecken ausreiten und abkürzen
Die korrekt ausgerittene Ecke, Radius 3 Schritt
Eine abgekürzte Ecke
Eine abgekürzte kurze Seite

Solches Abkürzen darf eigentlich nur im Schritt nötig werden. Im Trab können Sie den Abstand durch vermehrtes Treiben ausgleichen. Verboten ist, bei einer Abteilung im Schritt einen zu groß gewordenen Abstand trabend aufzuholen.

Reiten in zwei Abteilungen

Ist die Abteilung zu groß, um auf einem Zirkel Platz zu haben, teilt man sie und läßt die eine auf dem oberen, die andere auf dem unteren Zirkel reiten. Beide Abteilungen sollen gleich schnell sein, ihre Spitzenreiter sollen sich jeweils in der Bahnmitte begegnen. Damit das klappt, muß die zweite Gruppe nach dem Abwenden auf den Zirkel einen oder zwei Zirkelkreise ganz klein reiten.

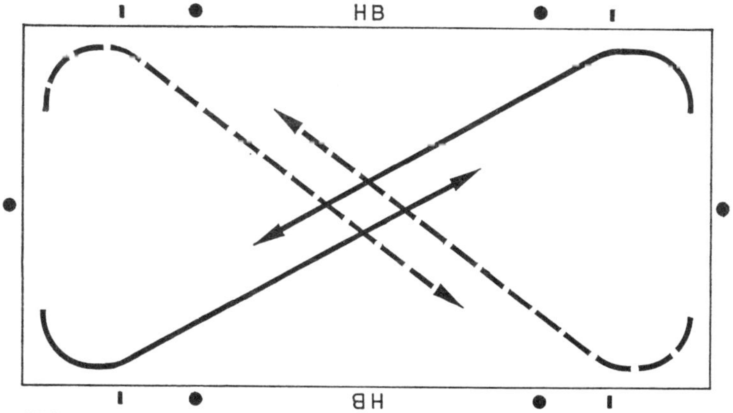

Bild 35. Zwei Abteilungen wechseln durch die ganze Bahn. Sie reiten stets rechts aneinander vorbei.
Linke Hand
Rechte Hand

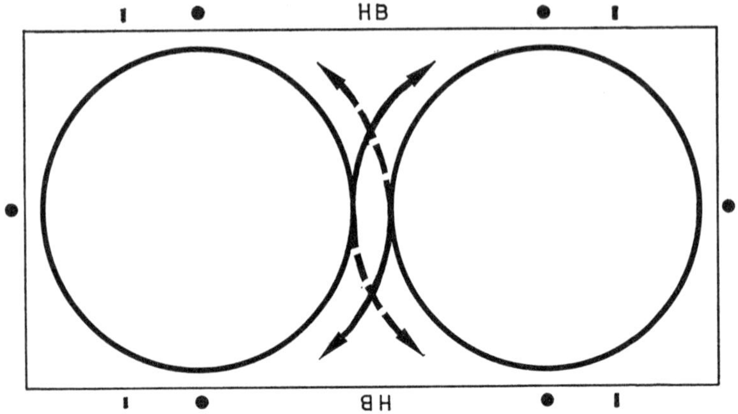

Bild 36. Zwei Abteilungen wechseln aus den Zirkeln. Sie reiten stets außen aneinander vorbei.
Linke Hand
Rechte Hand

Dieses Reiten in zwei Abteilungen kann man natürlich auch bei „ganze Bahn" und anderen Figuren weiterführen. Dabei muß sich die zweite Abteilung im Tempo nach der ersten richten.
Begegnen sich die beiden Gruppen, dann gelten dieselben Ausweichregeln, wie sie auf Seite 79 beschrieben sind. Man weicht ähnlich wie beim Autoverkehr nach rechts aus bzw. läßt die entgegenkommenden links an sich vorbeireiten. Anders ausgedrückt, „die linke Hand hat den Hufschlag".
Einzige Ausnahme ist das Wechseln aus dem Zirkel. Ist man auf der linken Hand geritten, reitet man links, ist man auf der rechten Hand geritten, rechts aneinander vorbei.

Aufmarschieren und Absitzen

Spätestens, wenn die Stunde zu Ende geht, bekommen Sie das kompliziertestes Kommando des Tages zu hören: *„Anfang links schwenkt, rechts marschiert auf/marsch“, . . . , „Anfang/halt!“* Was das nun bedeutet? Auf das erste „Marsch“ wendet die Tête vom Hufschlag ab zur Mitte der Bahn, Reiter Nr. 2 reitet noch drei Schritte weiter und biegt ebenfalls ab und so weiter.
Das „Halt“ stoppt den ersten Reiter, wenn sein Pferd mit den Vorderbeinen die (gedachte) Mittellinie der Bahn erreicht hat. Die folgenden Reiter halten auf derselben Höhe wie er, jeweils mit drei Schritt Zwischenraum. Die Richtung muß stimmen, maßgebend ist der Spitzenreiter.
Jetzt soll die Abteilung wie angewurzelt dastehen, kein Pferd schlägt mit Kopf oder Schweif, alle vier Beine sind gleichmäßig

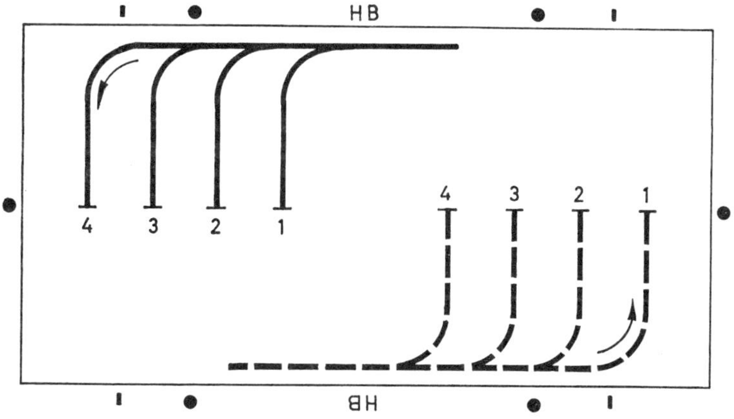

Bild 37. Aufmarschieren einer Abteilung. Es soll so gehalten werden, daß die Pferdeköpfe auf der Mittellinie der Bahn aufgereiht erscheinen.
——— „Anfang links schwenkt, rechts marschiert auf“
— — — „Abteilung linksum marsch“

6*

belastet. Leise Seufzer aus gequälter Reiterbrust, Dampf steigt von den Pferdeleibern.

„Zügel aus der Hand kauen lassen, Pferde loben. Einzeln absitzen". Das ist eigentlich so klar, daß weitere Erklärungen unnötig erscheinen. Aber vielleicht doch soviel: Lassen Sie sich die Zügel wirklich stückchenweise „aus der Hand kauen". Lassen Sie sich nicht mit einem ungeduldigen Ruck aus den Fingern ziehen, schmeißen Sie sie ebensowenig weg. Es hat lang genug gedauert, bis die Verbindung von Ihrer Zügelfaust zum Pferdemaul richtig hergestellt war — lockern Sie dieses Band jetzt mit Bedacht.

Zum *Absitzen* nehmen Sie das Zügelende und die Gerte in die linke Hand, stützen Sie sich mit beiden Händen vorn am Sattel auf, schwingen Sie das rechte Bein hoch über die Pferdekruppe und lassen Sie sich links hinuntergleiten. Der linke Fuß bleibt so lange im Bügel, bis der rechte festen Boden hat. Klammern Sie sich beim Hinuntergleiten nicht am Sattel fest, sonst rutschen Sie womöglich unter den Pferdebauch, statt richtigen Stand zu finden. Rascher geht's so: Zügelende und Gerte in die linke Hand, beide Füße aus den Bügeln, Beine etwas nach vorn, Schwung holen, mit beiden Händen vorn am Sattel abstützen, beide Beine nach hinten, dabei das rechte über die Kruppe schwingen — und schon steht man unten, mit Gesicht zum Pferd.

Und jetzt nicht vergessen: Bügel hoch, Gurte lockern — ohne besonderes Kommando. Nehmen Sie die Zügel über den Arm und erledigen Sie es in dieser Reihenfolge: den linken Steigbügel am inneren Riementeil hochschieben und den Riemen durch den Bügel stecken; den Sattelgurt links lockern (den einen Riemen ganz aufschnallen, den andern um drei oder vier Loch weiter machen); den rechten Bügel hochschieben und den Riemen durchstecken.

Bild 38. Nach dem Absitzen werden die Steigbügel am inneren Riementeil hochgeschoben. Dann steckt man den Riemen durch den Bügel.

Auf das Kommando „*Aus der Bahn*" führt jeder sein Pferd zum Stall zurück, und zwar eigentlich in der Reihenfolge, wie man aufmarschiert ist.
Bevor Sie Ihr Pferd an seinen Platz im Stall zurückführen, sollten Sie ihm die Hufe auskratzen (vgl. Seite 30). Dazu sollten Sie es an geeigneter Stelle anbinden. Ich halte es für besser, dies außerhalb von Box oder Ständer zu tun, auch wenn man häufig das Gegenteil beobachtet. Nach einer Stunde Arbeit in einer tiefgründigen Sandbahn hängt an den Pferdebeinen so viel Sand, daß man ihn abspritzt oder abwäscht, vgl. Seite 125.

Absatteln

Vergewissern Sie sich bitte, ob Ihr Pferd auch wirklich dahin gehört, wohin es jetzt seine Schritte lenkt. Sicher, meist weiß das Roß recht genau, wo der Hafer auf es wartet. Aber manchmal läuft es auch zu einem Platz, wo es zwar noch letzte Woche untergebracht war — aber seit gestern wohnt es eben zwei Ständer weiter links. Sie glauben gar nicht, was trinkfrohe Mitreiter alles zum Anlaß nehmen, Ihnen eine Runde Steinhäger aus der Nase zu ziehen!

Im *Ständer* nehmen Sie zuerst den Zaum ab. Dazu genügt es, den Kehl- und Kinnriemen zu lösen und Zügel und Kopfstück über die Ohren zu heben. Mit einem Seufzer der Erleichterung läßt das Pferd die Trense aus dem Maul fallen. Jetzt hängen Sie sich Kopfstück und Zügel über den linken Arm und stülpen Ihrem Pferd das Stallhalfter über den Kopf. Wenn Sie das Auftrensen geschafft haben, kommen Sie mit diesem wesentlich einfacheren Gebilde bestimmt zurecht.

Am Sattel brauchen Sie nur noch einen Riemen aufzumachen (den andern haben Sie schon beim Gurtelockern gleich nach dem Absitzen geöffnet). Lassen Sie den Gurt nicht einfach fallen. Er schlägt sonst u. U. mit seinen Schnallen dem Pferd recht unangenehm gegen die Vorderbeine. Das können Sie leicht vermeiden, indem Sie den Gurt mit Ihrem linken Bein abfangen.

Steht Ihr Pferd in einer *Box*, braucht es kein Stallhalfter. Vergessen Sie aber bitte nicht, die Boxentür richtig zu schließen, wenn Sie die Box mit Sattel und Trense auf dem Arm verlassen.

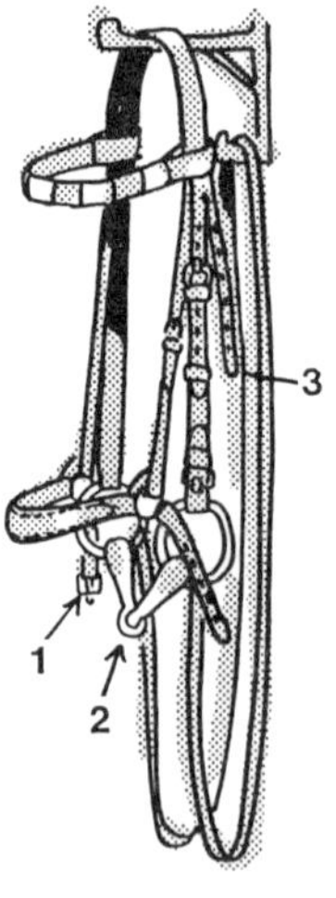

Bild 39. So soll der Trensenzaum am Haken hängen: Der Stirnriemen weist nach vorn, der Kinnriemen (1) ist offen, das Trensengebiß (2) ausgewaschen, der Kehlriemen (3) offen.

Den Sattel stemmen Sie auf den dafür vorgesehenen Ständer (richtig herum, Sattelzwiesel zur Wand!). Nein, den Trensenzaum dürfen Sie noch nicht aufhängen. Damit marschieren Sie zum Wasserhahn und waschen das Trensengebiß sauber. Die Metallteile müssen blank, alle angetrockneten Speichelreste abgewaschen sein. Die Lederteile sollen trocken bleiben! Und dann hängen Sie die Trense so auf, daß das Kopfstück gerade und unverschränkt herunterhängt, Stirnriemen zur Stallgasse.

Zwischenüberlegung

Eigentlich wissen Sie jetzt schon eine ganze Menge: über Pferd und Reiter im allgemeinen, über Satteln und Trensen, über die Bahnfiguren und wie man sie reitet, wie man treibt und pariert, wie man trabt und galoppiert. Fast könnte unser Buch jetzt zu Ende sein. Denn wenn Sie dies alles können, haben Sie wirklich schon viel gelernt, dann kann von „Anfänger“ keine Rede mehr sein.

Aber Sie werden auch manchen Schweißtropfen vergossen und einige kräftige Muskelkater überstanden haben. Dafür reiten Sie inzwischen auch nicht mehr ausschließlich als Schlußlicht der Abteilung. Ja, vielleicht hat der Reitlehrer Ihnen sogar schon einmal die Tête anvertraut.

Jetzt sollten Sie in einer ruhigen Stunde einmal die Probe aufs Exempel machen. Ich deutete das schon auf Seite 74 an. Lassen Sie sich außerhalb der üblichen Reitstunden Ihr gewohntes Pferd zuteilen für eine Stunde, in der außer Ihnen niemand in der Halle ist. Und jetzt versuchen Sie, allein mit Ihrem Pferd zurechtzukommen, ohne Anlehnung an die Abteilung, ohne die lauten Zurufe des Reitlehrers.

Auf einmal wird schon das Anreiten zum Problem. Und auch die Bahnfiguren und die anderen Lektionen, die Sie in der Gemeinschaft doch schon recht ordentlich zuwege brachten, zeigen Klippen wie in den allerersten Stunden. Bitte verzweifeln Sie nicht! Die gleiche Erfahrung, die Sie jetzt machen, haben alle anderen Reiter auch hinter sich gebracht.

Und diese Erkenntnis gehört eben auch zum Reitenlernen: Erst wenn man's auch alleine kann, kann man's wirklich.

Begeisterte Reiter ziehen aus dieser Erfahrung eine Lehre. Sie lassen sich einige *Einzelstunden* geben. Wenn sich der Reitlehrer nämlich eine ganze Stunde intensiv und ausschließlich mit Ihnen befaßt, profitieren Sie mehr als in einem halben Dutzend Stunden Abteilungsreiten. Es lohnt sich!

Lob und Strafe

Pferde sind für freundlichen Zuspruch durchaus zugänglich. Der Tonfall macht's; was Sie sagen, ist nicht so wichtig. Oder klopfen Sie Ihrem Pferd den Hals (mit der rechten Hand, die Linke hält so lange beide Zügel). Auch eine oder zwei Runden Schritt am hingegebenen Zügel wird das Pferd als Belohnung empfinden. Und nach dem Absitzen ziehen Sie ein paar Stück Zucker aus der Tasche, die Sie ihm auf der flachen Hand servieren. Nicht alle Pferde schwärmen übrigens für Zucker, manchen ist eine Mohrrübe oder ein Stück Brot lieber.

Pferde haben ein gutes Gedächtnis und erinnern sich oft erstaunlich lange an ein für sie ungewöhnliches Ereignis. So kann ein scheinbarer Ungehorsam, ein unerklärliches Bocken oder Scheuen seinen Grund zum Beispiel auch darin haben, daß Ihrem Pferd etwas Unangenehmes einfiel, das ihm gestern an ebendieser Stelle widerfahren ist.

Bevor Sie Ihr Pferd strafen, überlegen Sie bitte, ob wirklich vorsätzliche Bosheit im Spiel war, oder ob das Pferd Sie, Ihre Hilfen, einfach nicht verstanden hat. Stumpfen Sie das Pferd nicht ab! Wie Sie bei den Hilfen einem zähen Schulpferd kräftiger gegen die Schulter klopfen, wo Sie ein empfindlicheres Pferd nur noch leicht „touchieren“, so müssen auch Strafen überlegt dosiert werden. Der strafende Stich mit dem Sporn oder der harte Schlag mit der Gerte sind letzte Reserven; gehen Sie sparsam damit um.

Und noch etwas: Das Pferd kann Fehler und Strafe nur dann „verstehen“, wenn die Strafe dem Fehler unmittelbar folgt.

Aufbau einer Reitstunde

Für den Fall, daß Sie Gefallen am Einzelreiten finden, möchte ich Ihnen ein paar Stichworte geben. Und es kann ja auch einmal vorkommen, daß der Reitlehrer verspätet oder gar nicht erscheint. Dann entwickeln Sie Ihr eigenes Programm.

Die ersten zehn Minuten sollen ausschließlich dazu dienen, Muskeln und Gelenke von Pferd und Reiter zu lockern. Anreiten im Schritt, senkrecht auf die lange Seite zu, rechte Hand zwei Runden im Schritt (zweiter Hufschlag, falls nötig!). Antraben, leicht traben, vorwärtsreiten. Alle paar Minuten Handwechsel. Galoppieren, mal links, mal rechts. Traben. Schritt reiten. Traben. Zirkel. Ganze Bahn und so weiter.

Wechseln Sie häufig Gangart und Tempo, denn nach dem ersten Abschnitt, dem „Lösen“, kommt nun der zweite: Das Pferd soll „durchgängig“ werden, es soll „an die Hilfen gestellt“ werden. Auf gut deutsch: es soll sich auf seinen Reiter einstellen, weich auf seine Hilfen reagieren. Durchparieren zum Halten (bitte neben dem Hufschlag oder in der Zirkelmitte, damit es keinen „Auffahrunfall“ gibt). In der Mitte der Zirkel ist auch Platz, um ungestört Wendungen und Rückwärtsrichten zu üben. Wechseln Sie immer wieder zwischen *„lösenden“* und *„versammelnden“* Übungen. Und reiten Sie dieselbe Lektion nicht mehr als zwei- oder dreimal hintereinander. Sonst folgt Ihr Pferd mehr seinem Gedächtnis als den gerade von Ihnen gegebenen Hilfen.

Vor allem aber: der *Schwung* muß *erhalten* bleiben (oder, wenn er zunächst noch nicht zu spüren ist, erzeugt und dann gehalten werden). Zügeln und riegeln Sie Ihr armes Pferd nicht zu einem lustlosen, lahmen Etwas zusammen. Reiten ist Bewegung, losgelassene und kontrollierte Bewegung! Lassen Sie dem Pferd (und sich) immer wieder die Freude am Vorwärtsreiten, im Trab, im Galopp — aber auch im Schritt. Ein elastischer, schwungvoller und raumgreifender Schritt ist gar nicht so leicht zu reiten.

Sie werden bald merken, daß bestimmte Lektionen auf der einen

Hand besser zu reiten sind als auf der anderen. Üben Sie dann die steifere Seite desto mehr, auch wenn das gute Gelingen auf der „durchlässigeren“ Seite mehr Spaß macht.
In der zweiten Hälfte der Stunde (oder auch erst im letzten Drittel) soll Ihr Pferd so weich zu reiten sein, daß Sie für die Hilfen immer weniger Kraft brauchen. Je bereitwilliger das Pferd reagiert, desto weicher (nicht länger!) kann der Zügel werden, mit desto weniger Schenkeldruck kommen Sie aus, bis Sie schließlich fast nur noch an eine Lektion zu denken brauchen, und schon reitet Ihr Rößlein an, wendet oder galoppiert. Ernsthaft, es ist wirklich erstaunlich, mit wie wenig Hilfen man bei einem gut gerittenen Pferd auskommt. Auch wenn dieses Ziel Ihnen im Augenblick noch recht fern zu sein scheint. Es ist den Schweiß der Edlen (Pferde wie Reiter) wert.
Apropos Schweiß: Etwa fünf Minuten vor dem Ende der Stunde sollten Sie wieder zum Schrittreiten übergehen. Ihr Pferd soll *trocken in den Stall* kommen, nicht schweißnaß. Wenn sich das gar nicht vermeiden ließ, reiben Sie es im Stall mit einigen Handvoll trockenem Stroh kräftig ab, bis es wirklich trocken ist. Im Sommer sollte man die Sattellage (die Fläche, die der Sattel bedeckt) waschen, siehe Seite 126. Eine alte Reiterweisheit lautet: „Langsam vom Stall — langsam zum Stall.“

Reiten „in Stellung“

In all den Lektionen, von denen wir bisher gesprochen haben, sollte sich Ihr Pferd mit seinen Vorder- und Hinterbeinen auf demselben Hufschlag bewegen. Beim normalen Geradeausreiten setzt man das sowieso voraus (obwohl viele Pferde die Tendenz haben, ein klein wenig schief daherzukommen). Beim Reiten auf dem Zirkel, bei der Volte oder beim Reiten durch die Ecken sollten Sie Ihr Pferd biegen. Ich habe Ihnen erzählt, daß der äußere, verwahrend zurückgenommene Schenkel ebendiese Aufgabe hat, die Hinterhand auf dem Hufschlag zu halten. Ohne diese Hilfe käme das Pferd mit seiner Hinterhand „ins Schleudern“, die Hinterhand würde nach außen weglaufen.

Bewußt gebogen bzw. rechts oder links „gestellt“ haben Sie das Pferd auch bei den Wendungen auf der Stelle und natürlich auch beim Angaloppieren.

Nehmen wir an, daß Sie diese reiterlichen Aufgaben inzwischen mit Anstand lösen. Ihr Sitz ist geschmeidiger geworden; Sie ziehen weder die Absätze hoch, noch „hämmern“ Ihre Fäuste im Trab. Jetzt kommt eine weitere Gruppe von Übungen. Ich habe sie unter der Überschrift „Reiten in Stellung“ zusammengefaßt, obwohl das nicht ganz korrekt ist. Denn „rechts gebogen“ und „rechts gestellt“ ist nicht dasselbe.

„Geradeaus gestellt“ brauchen wir nicht weiter zu erklären: Die Wirbelsäule ist von Kopf bis Schweif geradegerichtet.

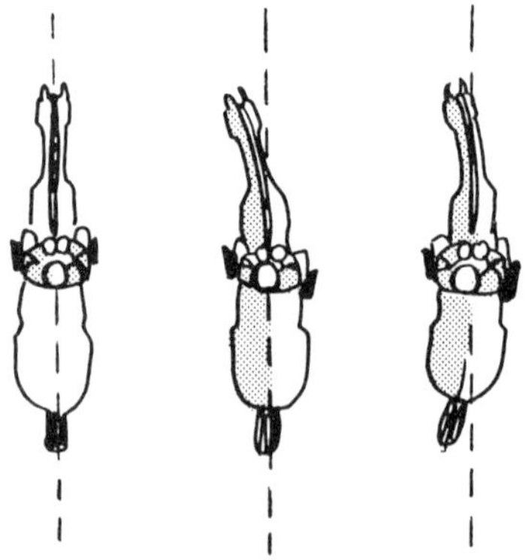

Bild 40. So unterscheiden sich „geradeaus gestellt“ (links), „links gebogen“ (Mitte) und „links gestellt“ (rechts) aus der Vogelschau. Die Pferde gehen in Richtung der gestrichelten Linien.

„Links gebogen" (bzw. rechts gebogen) ist das Pferd, wenn es lediglich Schultern und Hals, also die Vorhand, biegt, die Hinterhand aber gerade und in Marschrichtung läßt.
„Links gestellt" (bzw. rechts gestellt) ist das Pferd, wenn Vor- und Hinterhand zugleich gebogen sind.
Die Hilfen zum „Biegen" oder „Stellen" sind fast identisch: Einleitung durch eine halbe Parade, dann nehmen Sie zugleich den inneren Zügel kürzer und den äußeren Schenkel zurück und setzen sich stärker auf den inneren Gesäßknochen. Hier ist „innen" und „außen" nicht mehr wie bisher unbedingt die Richtung zur Bahnmitte bzw. zur Bande. Diese Bezeichnungen beziehen sich jetzt auf die gewünschte Biegung. Es kann nämlich auch sein, daß Sie auf der linken Hand reiten und Ihr Pferd rechts stellen sollen. Also ist jetzt Ihr rechter Schenkel „innen", obwohl die Mitte der Bahn links von Ihnen liegt.
Sie können mit dem Pferd, das links (oder rechts) gebogen bzw. gestellt ist, geradeaus reiten. Das ist eine gute Vorübung, im Schritt wie im Trab. Geben Sie sich Mühe, wirklich den Rumpf des Pferdes zu biegen. Nicht im Hals, in den Rippen soll das geschehen. Also nicht zu viel am Zügel ziehen. Sie sollen — wie schon beim Angaloppieren — nur gerade „das Auge schimmern sehen".

Schenkelweichen

Gesetzt den Fall, Sie reiten auf der rechten Hand, und der Reitlehrer ruft: „An der nächsten langen Seite dem linken Schenkel weichen lassen." Das bedeutet, Sie müssen Ihr Pferd links „stellen" (also Kopf zur Bande) und es zugleich mit Ihrem linken Schenkel (von der Stellung des Pferdes her gesehen ist er jetzt der innere!) veranlassen, mit der Hinterhand nach rechts, in die Bahn hineinzutreten. Etwa 45 Grad soll der Winkel zwischen Pferd und Hufschlag betragen. Das Pferd „tritt vorn und hinten über". Das heißt, es setzt die Hufe nicht vorwärts, sondern vorwärts-seitwärts. Das linke Vorder- bzw. Hinterbein tritt also jeweils nach rechts über das entsprechende rechte Bein hinweg. Es entstehen hier also vier Spurlinien (oder wenn Sie lieber wollen: zwei Hufschläge).
Die Hilfen sind einfach: Nach der halben Parade stellen Sie das

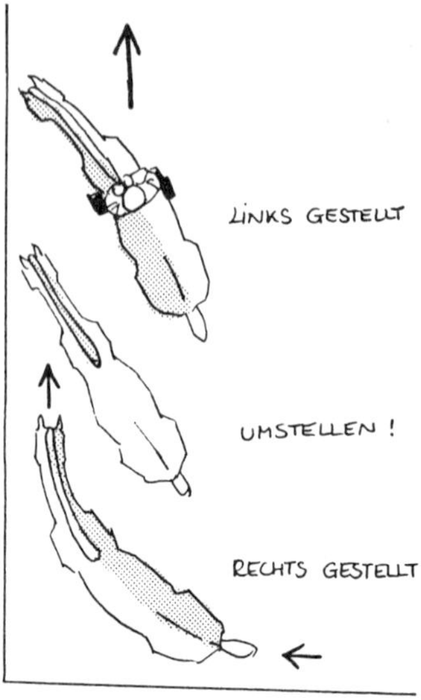

Bild 41. Die Entwicklung des Schenkelweichens aus der Ecke

Pferd links — rechter Schenkel zurück, linken Zügel annehmen, Gewicht etwas nach links (nicht einknicken!). Und dann kommt jeweils der Druck mit dem linken Schenkel, um den sich eben abhebenden linken Hinterfuß zum Seitwärtstreten zu veranlassen. Es ist ähnlich wie bei den Wendungen auf der Stelle: Jeder Schritt soll einzeln erzielt werden; also den Schenkeldruck entsprechend der Bewegung der Hinterhand verstärken und abschwächen. Und ebenso den linken Zügel annehmen und nachgeben im Rhythmus der Schritte, die die Vorhand machen soll.

Das liest sich komplizierter, als es ist. Wenn ich auch zugebe, daß es eine Zeitlang braucht, bis man die Schritt für Schritt erforderlichen Hilfen „automatisch" gibt, also nicht mehr nachzudenken braucht, was man als nächstes tun muß. Zur Probe darauf, ob Sie die Theorie verstanden haben: Bitte überlegen Sie jetzt, was erforderlich ist, wenn Sie auf der linken Hand reiten und Ihr Pferd dem rechten Schenkel weichen soll.

Schulter-herein

Hier geht das Pferd mit der Hinterhand gerade auf dem Hufschlag. Die Vorhand ist zur Bahnmitte *gebogen* (also nicht nur „gestellt" wie beim Schenkelweichen). Dabei tritt der äußere Vorderfuß in die „Spurlinie", in die das Pferd auch den inneren Hinterfuß setzt. Es sollen also drei Spurlinien entstehen.

Hier stimmen „Hand" und Biegung wieder überein: Reiten Sie auf der linken Hand, ist Ihr Pferd links gebogen — und umgekehrt. Nur die Vorhand tritt über, die Hinterhand geht gerade. Die

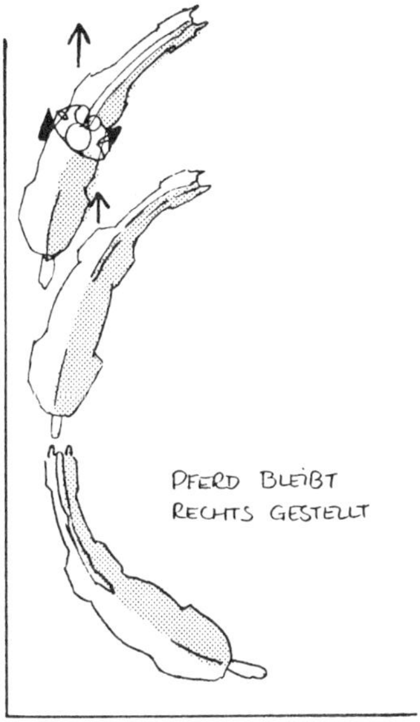

Bild 42. Die Entwicklung von Schulterherein aus der Ecke

Hilfen ergeben sich aus der Biegung: äußerer Schenkel zurück, äußere Schulter vor, inneren Zügel annehmen, inneren Gesäßknochen stärker belasten. Das Pferd soll den Rumpf biegen, nicht nur den Hals! Besonders nachdrücklich muß der äußere Schenkel wirken: Er „verwahrt" die Hinterhand, die sonst seitlich ausfallen würde, zu einer Schrittfolge ähnlich wie beim Schenkelweichen, wo ja Vorder- und Hinterbeine „übertreten". Die stärkere Biegung beim Schulter-herein fällt Pferd und Reiter schwerer als das Schenkelweichen. Deswegen reitet man Schulterherein zu Anfang nur eine halbe lange Seite und stellt sein Pferd dann wieder gerade. Aber auch wenn Sie die ganze lange Seite „Schulter herein" geritten sind, sollten Sie das Pferd vor der Ecke wieder gerade stellen.

Dagegen ist es sehr nützlich, an irgendeinem Punkt der langen Seite aus dem Schulter-herein eine Volte zu reiten (nach der Sie dann entweder das Schulter-herein fortsetzen oder auch geradeaus gestellt weiterreiten). Denn aus dieser Übung wird Ihnen das Zusammenspiel der Hilfen deutlich, die das nach innen gebogene bzw. gestellte Pferd in die Kreisbiegung der Volte oder entlang der langen Seite gehen lassen.

Schulter-herein verstärkt die „Versammlung" des Pferdes, denn es führt zu einem vermehrten „Untertreten" des inneren Hinterfußes.

Travers und Traversale

Bei Schenkelweichen und Schulter-herein tritt das Pferd nach außen: seine äußere Schulter ist vorn. Beim Traversieren ist

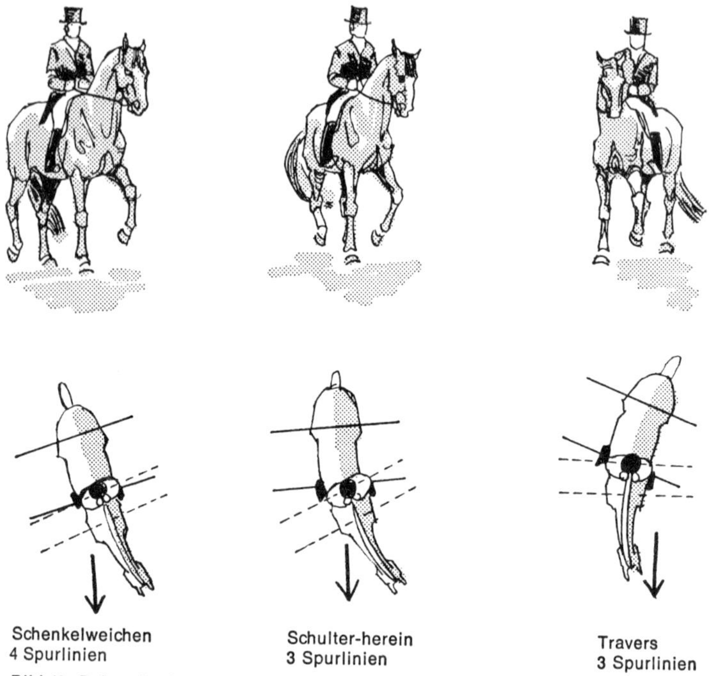

Bild 43. Reiten in Stellung, jeweils genau von vorn und von oben gesehen. Die durchgezogene Linie bezeichnet Hinterhand und Reiterschenkel, die gestrichelte die Vorderhand und die Reiterschultern.

das umgekehrt. Hier liegen der Punkt, um den das Pferd gebogen ist, und die Richtung, in der Sie reiten, auf der gleichen Seite. Auf der obigen Abbildung wird Ihnen das deutlicher. Das Traversieren ist in gewisser Beziehung die Umkehrung von Schulter-herein. Hier geht die Vorhand gerade und die Hinterhand tritt seitwärts über. Drei Spurlinien: der äußere Hinterfuß folgt dem inneren Vorderfuß. Sie entwickeln diese Bewegung am besten aus der Ecke. Denn da hat Ihr Pferd schon die entsprechende Biegung. Diese muß nur noch etwas stärker werden — und natürlich, die Bewegungsrichtung ist anders. Sie behalten also den äußeren Schenkel zurück und treiben mit ihm vermehrt, noch bevor das Pferd die Ecke ganz durchschritten hat. Der *Travers* führt an der langen Seite entlang.

Auch hier kann das Einbeziehen einer Volte Ihr Gefühl dafür verstärken, welche Hilfen wie wirken. Denn die Biegung bleibt ja gleich, nur die Bewegungsrichtung wechselt.
Dieselbe Biegung wird bei der *Traversale* gefordert, die manche Leute auch Traversalverschiebung nennen. Hier führt Sie Ihr Weg nicht an der langen Seite entlang, sondern wie beim Wechseln durch die ganze Bahn diagonal durch diese hindurch. Dementsprechend bleibt der Körper des Pferdes zur langen Seite fast parallel. Er ist dabei so gebogen, daß seine „hohle" Seite gegen die lange Seite gegenüber weist.
Außer einer ganzen Traversale gibt es auch die halbe, bei der Sie nur bis zum Bahnmittelpunkt reiten und von dort entweder mit gerade gerichtetem Pferd auf die Mitte der kurzen Seite zu oder mit entgegengesetzt gebogenem Pferd zurück auf Ihren ursprünglichen Hufschlag reiten („zwei halbe Traversalen").
Als Vorstufe zur Traversale reitet man sein Pferd nach dem Kommando „Aus der nächsten Ecke kehrt" in der Biegung auf den Hufschlag zurück, die das Pferd bei der Kehrtwendung hat.
Schenkelweichen, Schulter-herein und Travers reiten Sie zunächst im Schritt, später auch im Trab.

Das Viereck verkleinern und vergrößern

Schenkelweichen, Schulter-herein und Travers reiten Sie zunächst entlang einer langen Seite. Die Bande gibt Ihnen die notwendige Führung. Daran schließt sich dann das Viereck-verkleinern an: Man treibt vom ersten Wechselpunkt einer langen Seite das Pferd ähnlich dem Schenkelweichen seitwärts-vorwärts in das Innere der Bahn. Dazu müssen Sie (gehen wir wieder vom Reiten auf der linken Hand aus) das Pferd nach dem Durchreiten der Ecke umstellen, in diesem Fall also von links nach rechts. Den rechten Zügel verkürzen, mit dem linken Zügel führen (gegenhalten), den linken Schenkel verwahrend zurück, mit dem rechten Schenkel vermehrt treiben. Das Pferd bleibt jetzt also parallel zur Bande, ist aber in sich gebogen und tritt nach links vorwärts in die Bahn hinein. Wie weit, richtet sich nach dem Können von Pferd und Reiter. Das „Soll" liegt in der Mittellinie der Bahn.
Heißt das Kommando „Das Viereck verkleinern und vergrößern",

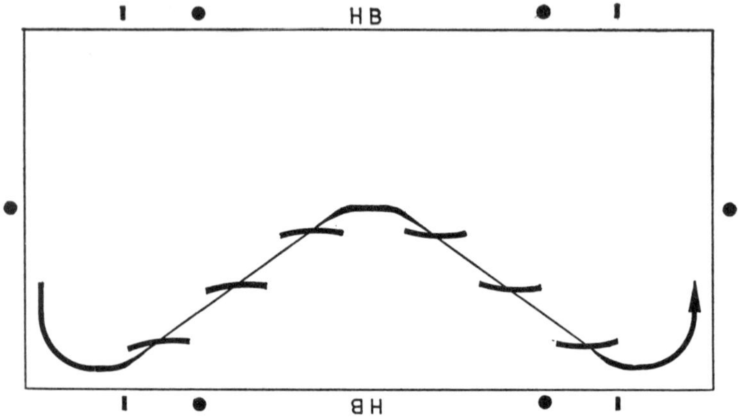

Bild 44. Das Viereck verkleinern und vergrößern. In der Mitte der Bahn reitet man eine Pferdelänge geradeaus.

dann stellen Sie das Pferd gerade, bevor Sie in der Höhe der Bahnmitte sind, reiten eine Pferdelänge geradeaus, stellen dann das Pferd um (hier also links) und treiben es entgegengesetzt nach rechts vorwärts-seitwärts wieder auf den Hufschlag zurück. Sie erreichen ihn am zweiten Wechselpunkt.

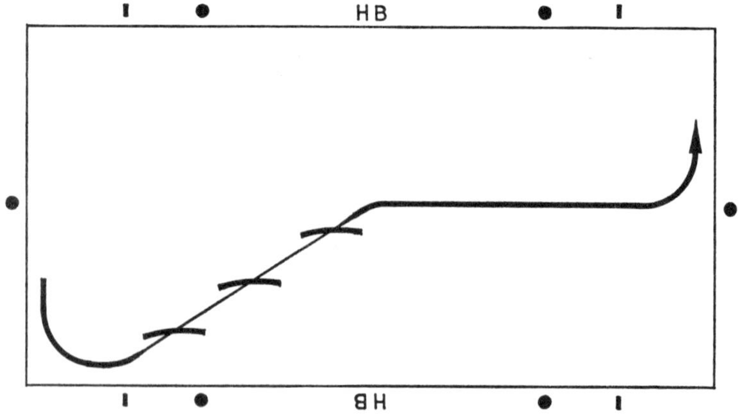

Bild 45. Das Viereck verkleinern

Heißt es nur „Das Viereck verkleinern", dann sieht die zweite Hälfte der Übung so aus wie bei „Durch die Länge der Bahn geritten". Sie reiten also von der Bahnmitte mit dem geradegerichteten Pferd auf die Mitte der kurzen Seite zu (kein Handwechsel!).

Das geht auch umgekehrt. Stellen Sie sich vor: „Rechte Hand". Kommando „Durch die Länge der Bahn / geritten. Vom Mittelpunkt ab dem rechten Schenkel weichen lassen". Jetzt wenden Sie an der Mitte der kurzen Seite ab, reiten gerade bis zum Mittelpunkt, stellen Ihr Pferd rechts und treiben es nach links seitwärtsvorwärts.

Wenn Sie das Reiten in Stellung besser können, versuchen Sie diese Lektionen auch im Trab *traversierend* (also entgegengesetzt gestellt wie beim Schenkelweichen) zu beherrschen. Sie werden dann spüren, wieviel kraftvoller die Bewegungen des Pferdes im Travers sind als im Schenkelweichen. Mir hat damals der Besuch in der Spanischen Hofreitschule in Wien den Ruck gegeben zu versuchen, über das Schenkelweichen hinauszukommen. Und wenn das Pferd und ich gemeinsam unseren guten Tag haben, dann schaffen wir das: das Viereck verkleinern und vergrößern im Travers. (Aber es muß noch besser werden!)

Bleiben wir zunächst noch beim *Schenkelweichen.* Es läßt sich zum

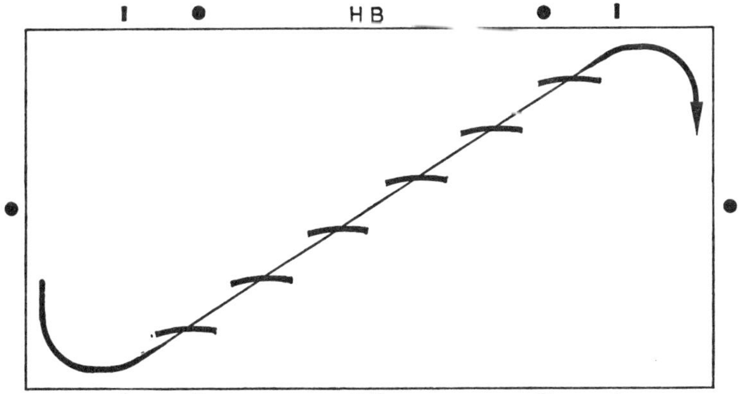

Bild 46. Durch die ganze Bahn wechseln, dabei das Pferd dem rechten Schenkel weichen lassen.

Beispiel auch beim „Wechseln durch die ganze Bahn“ einbauen. Dabei geht das Pferd parallel zur langen Seite, tritt aber vorn und hinten über, bewegt sich also diagonal von einem Wechselpunkt zum anderen. Es kommt darauf an, die Hilfen so zu dosieren, daß der Schwung (im Schritt oder im Trab) erhalten bleibt. Ich halte es für besser, auch diese Übung zunächst nur so viele Schritte zu reiten, wie Sie den Schwung, den Takt dieser Schritte treibend „halten“ können, und dann weiter geradeaus zu reiten, als mit letzter Energie ein anscheinend müdes und „auseinandergefallenes“ Roß noch bis ans Ende der langen Seite bzw. der Bahndiagonale zu quälen. Beim nächsten Versuch reicht der Schwung dann vielleicht schon drei Tritte weiter.

Schenkelweichen zählt zu den lösenden Übungen!

Zirkel verkleinern und vergrößern

Damit ist gemeint, daß man den Zirkel zunächst enger reitet, bis man nach drei Runden einen Kreis erreicht hat, der einer Volte entspricht. Dann reitet man in wachsenden Bogen wieder nach außen. Nach meiner Meinung gibt es für diese Übung zwei Versionen. Die erste besteht darin, daß Sie lernen, Ihr Pferd immer mehr zu biegen, je enger die Kreise werden. Die Zügel haben

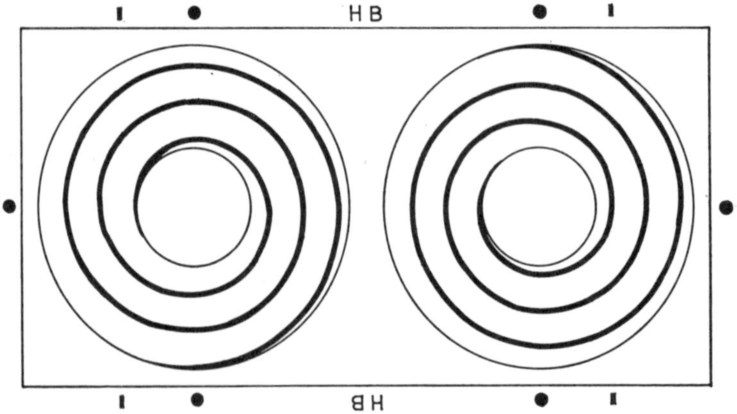

Bild 47. Den Zirkel verkleinern (links) und vergrößern (rechts; jeweils linke Hand)

Bild 48. An der offenen Zirkelseite das Pferd dem linken Schenkel weichen lassen. Die Vorhand bleibt auf der Zirkellinie, die Hinterhand tritt über.

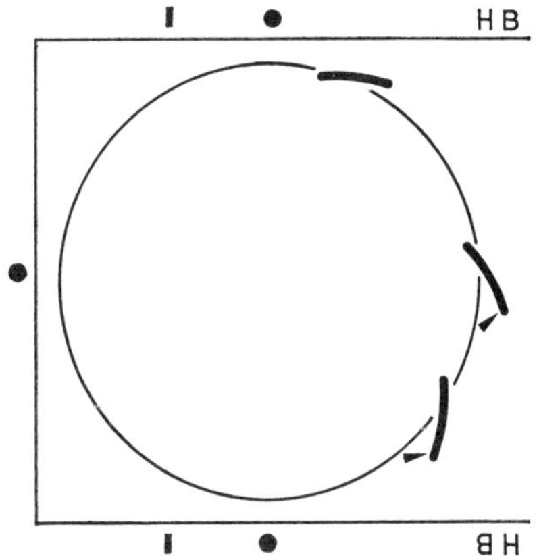

(etwas vereinfacht dargestellt) dafür zu sorgen, daß die Vorhand auf der gewünschten Spirale geht. Die Schenkel kontrollieren (und korrigieren) die Hinterhand, damit sie dasselbe tut, also weder nach außen, noch nach innen ausfällt. In der zweiten Stufe (sagen wir, ein halbes Jahr später) reiten Sie dann „das Zirkel verkleinern" in der Art einer Traversale. Das heißt, Sie schieben mit dem äußeren Schenkel das Pferd beim Zirkelverkleinern nach innen — und beim Zirkelvergrößern treibt der innere Schenkel nach Art des Schenkelweichens das Pferd nach außen. (Und deswegen steht diese Lektion hier und nicht weiter vorn im Buch).
Das Nach-außen-Treiben ist einfacher. Deswegen übt man schon bald beim Zirkelreiten *„An der offenen Seite dem linken (rechten) Schenkel weichen lassen"*. Das heißt, Sie sollen die Hinterhand an der offenen Seite des Zirkels nach außen treiben.

Außengalopp (Kontergalopp)

Sie erinnern sich an die Hilfen zum Angaloppieren. Reitet man auf der rechten Hand, so wird das Pferd dazu rechts gestellt. Deswegen galoppiert sich's aus einer Ecke heraus besonders leicht an, denn da hat das Pferd schon die richtige Stellung nach innen. Nun kann man aber auch in Außenstellung galoppieren, also etwa auf der rechten Hand Linksgalopp reiten.
Der erste Schritt dazu ist, daß man zum Beispiel durch die ganze Bahn wechselt, aber ohne Galoppwechsel. Hat man also auf der linken Hand begonnen zu galoppieren, so bleibt man auch auf der rechten Hand im Linksgalopp. Die linke Schulter bleibt vorn, man

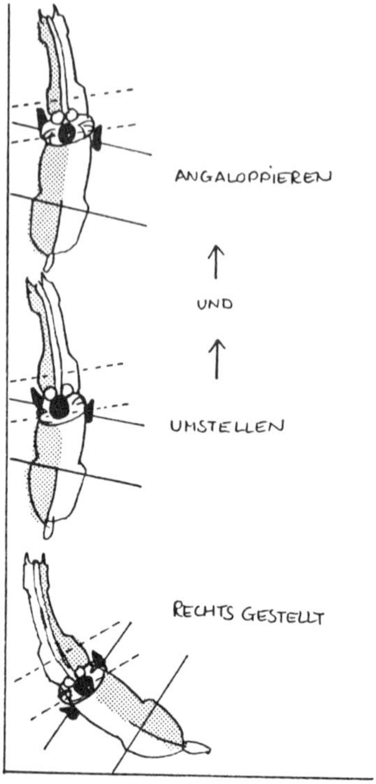

Bild 49. Angaloppieren im Kontergalopp, Entwicklung aus der Ecke

sitzt „nach außen“, der rechte (verwahrende) Schenkel ist jetzt innen. Spüren Sie, was es mit dem einseitigen Kreuzanspannen auf sich hat?
Ein bißchen schwerer wird die Geschichte, wenn der Handwechsel mit „Aus der nächsten Ecke / kehrt“ erreicht werden soll. Denn je enger die Biegung, desto größer die Versuchung für Ihr Pferd, auszufallen — in den Trab — oder umzuspringen — in den für die neue Richtung „richtigen“ Galopp.

Perfekt wird der Kontergalopp, wenn Sie diese Hilfskonstruktionen nicht mehr brauchen, sondern wirklich im Kontergalopp, in der Außenstellung angaloppieren können. Auch das wird aus der Ecke heraus entwickelt. Nehmen wir wieder die rechte Hand. Sie kommen, Pferd rechts gestellt, aus der Ecke heraus. Dann stellen Sie das Pferd links — fast so, als wollten Sie beim Zirkelpunkt durch die Bande nach draußen reiten. Gleichzeitig den rechten Schenkel zurück, die rechte Schulter vor, Gewicht vermehrt nach links, im Zügel gegenhalten und durch Nachgeben im linken Zügel und Kreuzanspannen links den ersten Galoppsprung erzielen. Machen Sie sich's zu Fuß, zu Hause im Lehnstuhl nochmal ganz klar, denn inzwischen sind einige Bewegungen und Reaktionen Ihres Körpers schon fast automatisch geworden — und die müssen Sie jetzt bewußt umschalten. Und Sie werden auch zu Pferde einige Ansätze machen müssen, bis es wirklich klappt. Aber dann ... !

Fliegender Galoppwechsel

Wir hatten auf Seite 61 den einfachen Galoppwechsel beschrieben, bei dem man das Pferd zum Schritt durchpariert, umstellt und dann auf der anderen Hand von neuem angaloppiert. Je nach dem Können von Pferd und Reiter kann man das aber auch rascher und eleganter machen. Man läßt das Pferd „umspringen", also ohne Durchparieren vom Links- in den Rechtsgalopp wechseln und umgekehrt.
Das geht am besten beim Wechseln aus dem Zirkel. In der Mitte zwischen beiden stellen Sie Ihr Pferd um: also, gleichzeitig und entschlossen, Schenkel und Gewicht umlegen, Zügelführung entgegengesetzt, Druck mit dem „neuen" inneren Gesäßknochen. Je enger Sie die Biegung des zweiten Zirkels zunächst reiten, desto größer sind Ihre Chancen, daß das Pferd umspringt, und zwar vorn *und* hinten. Es gibt nämlich so einen seltsamen Galopp (Kreuzgalopp), bei dem die Vorhand links und die Hinterhand rechts galoppiert. Man spürt das, die Bewegung „läuft" nicht richtig, es stößt im Kreuz.

Hohe Schule

Auf Seite 99 habe ich die Spanische Hofreitschule in Wien erwähnt. Lassen Sie mich zum Abschluß dieser Kapitel über die Dressur noch ein paar Lektionen der Hohen Schule erläutern. Nicht zum Nachmachen, nur zum besseren Verstehen. Da wird zunächst unterschieden zwischen der „Schule auf der Erde" und der „Schule über der Erde".

Zur Schule auf der Erde gehören:

Piaffe: Trab auf der Stelle mit hohen Tritten.
Schulschritt: Schritt in vollkommener Versammlung.
Passage: Trab in hoher Versammlung mit hohen, schwebenden Tritten.
Pirouette: eine ganze Drehung um die Hinterhand im abgekürzten Galopp.

Zur Schule über der Erde gehören:

Levade: während sich die Vorhand mit angewinkelten Vorderbeinen hebt, ruht der Körper auf den stark gebogenen Hinterbeinen.
Ballotade: ein einmaliger Sprung auf der Stelle. Dabei weisen alle vier Hufe nach hinten.
Croupade: wie die Ballotade, aber mit unter den Bauch gezogenen Hinterbeinen.
Courbette: mehrmaliges Vorspringen in der Levade.
Kapriole: Sprung senkrecht in die Höhe mit ganz gestrecktem Leib. Dabei schlägt das Pferd hinten aus.
Pesade: ein schulgerechtes Aufbäumen.

Dann gibt es noch die „Arbeit an der Hand", bei der der Reiter abgesessen ist. Im übrigen begegnen Sie in der Hohen Schule vielen

Übungen, die Sie schon kennen. Allerdings mit einem wesentlichen Unterschied: Hier kommt es nicht mehr so wie bei Ihnen und mir darauf an, ob man die eine oder andere Lektion überhaupt reitet. Das ist hier selbstverständliche Voraussetzung. Entscheidend ist, mit welchem Grad der Perfektion Roß und Reiter ihr Metier beherrschen.

Springen

Eines Tages stehen ein oder zwei weiß und rot lackierte Ständer in der Bahn, und Sie hören die Erfahrenen flüstern: „Heute wird gesprungen." Und wirklich, nachdem die Pferde warmgeritten und gelöst sind, werden die Bügel zwei Loch kürzer geschnallt und es geht ans Springen.
Nur ganz junge Reiter setzen ohne alle Bedenken über das Hindernis. „Mut ist Mangel an Phantasie!" Aber lassen Sie sich nicht bange machen, jedenfalls nicht mehr als notwendig. Springen gehört zum Schönsten, was man in der Bahn tun kann. Schon nach ein paar Versuchen werden Sie im wahrsten Wortsinn „den Bogen heraus haben". Es ist wie beim Traben: Ihr Körper muß sich an diese neuen Bewegungen gewöhnen, muß sie ohne Nachdenken „automatisch" ausführen. Dazu gehört Übung, siehe oben.
Zu Ihrem Trost: Die Hindernisse, die es jetzt zu überspringen gilt, sind 60 bis 80 cm hoch. In Springturnieren liegen die Stangen oder Gatter bis 1,70 cm hoch. Der Rekord im Hochsprung zu Pferd liegt seit dem 5. Februar 1949 bei 2,47 m! Der Hüpfer, der von Ihnen verlangt wird, nimmt sich dagegen wirklich bescheiden aus.
Und doch, Sie kommen sich trotz aller schon erworbenen reiterlichen Fertigkeiten vor wie der blutigste Anfänger, der je auf ein Pferd gesetzt wurde. Lassen wir das Psychologische einmal beiseite. Betrachten wir uns lieber, was da geschieht. Auf Seite 39 habe ich vom Sitz gesprochen, von den Schwierigkeiten, die Bewegungen der beiden selbständigen „Systeme" Mensch und Pferd so aufeinander abzustimmen, daß sie als Einheit wirken. Ebendas ist auch jetzt der entscheidende Punkt.

Absprung und Landen

Zwei Phasen sind beim Springen kritisch: Absprung und Landen. In beiden Fällen ist das „Mitgehen" des Reiters mit der Bewegung des Pferdes das Ausschlaggebende.

Bild 50. Der Bewegungsablauf beim Springen: beim Absprung weit nach vorn „mitgehen", in der Bewegung bleiben, nach dem Auffußen weich einsitzen!

Beim *Absprung* wird die Geschwindigkeit des Pferdes plötzlich erheblich größer — und zugleich wechselt die Bewegungsrichtung nach vorwärts-aufwärts. Deswegen muß Ihr Schwerpunkt nach vorn gelegt werden: Sie stehen im Sattel etwas auf und neigen den Oberkörper weit nach vorn. Andernfalls geraten Sie „hinter die Bewegung". Halt geben Ihnen während des Sprungs Ihre dicht an den Sattel gedrückten Knie. Wenn nötig, fassen Sie in die Mähne. Sich am Sattel festzuhalten, ist Unsinn; denn dann können Sie niemals die notwendige Vorlage bekommen. Vielmehr gerät dann Ihr Gesäß beim Vorbeugen nach hinten, und Ihr Schwerpunkt wandert ebenfalls nach hinten statt nach vorn.
Beim *Landen* müssen Ihre Knie als Stoßdämpfer wirken, ebenso Ihre Arme, mit denen Sie sich auf dem Hals abstützen. Sie sollen weich im Sattel landen. Schon damit Sie möglichst rasch wieder die vollkommene Gewalt über Ihr Pferd bekommen, das außerdem ja die Freude am Springen auch behalten soll. Es verliert sie, wenn der Reiter ihm nach jedem Sprung wie ein Zementsack ins Kreuz fällt. Reiter sprechen übrigens nicht von Landen, sondern von Auffußen.
Das erste Hindernis wird meist an der Mitte der langen Seite aufgebaut und man springt zuerst auf der linken Hand. Als Vorbereitung schnallt man beide Bügel um ein oder zwei Loch kürzer. Und manchmal reitet man zuerst im Schritt an das Hindernis heran, damit das Pferd in Ruhe feststellen kann, daß das ja die ganz einfache Anfängerhöhe ist.

Anreiten zum Sprung

Wenn es dann „ernst“ wird, reitet man einzeln an. Der zweite beginnt, wenn der erste mit seinem Sprung fertig ist. An sich genügt es, aus der zweiten Ecke der kurzen Seite heraus anzugaloppieren. Reiten Sie entschlossen auf das Hindernis zu. Die Pferde spüren, wenn der Reiter zaghaft ist. Wie, weiß ich nicht, aber sie tun's. Bleiben Sie beim Galopp fest im Sattel, treiben Sie das Pferd dem Hindernis entgegen, als ob da gar nichts stünde. Halten Sie besonders den äußeren Zügel in der Hand. Sonst „bricht“ Ihnen das Pferd (nach innen) „aus“. Die letzten beiden Galoppsprünge gehören dem Pferd. Es sucht sich selbst den geeigneten Punkt zum Absprung. Stören Sie es nicht dabei, werden Sie jetzt eher leichter im Sattel. Aber erst, wenn das Pferd sich zum Abspringen hebt, gehen Sie mit dem Gesäß aus dem Sattel! Vor mit dem Oberkörper, Arme auf den Pferdehals (u. U. in die Mähne greifen), Knie zu, mitgehen! Auch im Sprung sollten Sie die Verbindung mit dem Pferdemaul nicht ganz verlieren. Denken Sie daran, im Sprung streckt sich das Pferd, es nimmt Kopf und Hals weit nach vorn. Entsprechend weit sollen Ihre Hände nach vorn kommen. Auf keinen Fall dürfen Sie Ihr Pferd im Maul stören, indem Sie sich im Sprung in die Zügel hängen. Krallen Sie sich in die Mähne!
Man kann auch im leichten Sitz anreiten, sich also zur Schonung des Pferderückens etwas in den Bügeln heben. Dabei ist wichtig, daß man beim letzten Galoppsprung vor dem Hindernis die Knie kräftig zusammendrückt, um beim Absprung den richtigen Halt zu bekommen. Anfänger sollten nach meiner Meinung beim Springen aber lieber ausgesessen angaloppieren; so haben sie mehr Möglichkeit, auf das Pferd einzuwirken.
Nach dem Sprung sollen Sie, wie schon gesagt, weich „einsitzen“. Fallen Sie dem Pferd nicht auf den Hals. Die Vorhand muß beim Landen schon genug Gewicht auffangen. Zügel gleich wieder aufnehmen und weitergaloppieren. Gerade die altgedienten Schulpferde wissen nur zu gut, wie froh ihr Reiter ist, hat er seinen Sprung halbwegs gut überstanden. Und so fallen sie jetzt in den Trab und gesellen sich auf dem kürzesten Weg wieder zur „Herde“, statt auf dem Hufschlag weiterzugaloppieren. Helfen Sie mit, daß diese Schlamperei nicht weiter um sich greift!

Es gibt Pferde, die vom Hindernis magisch angezogen werden, die beim Anreiten wild drauflosstürmen. Solche muß man zurückhaltend angaloppieren, unter Umständen genügen hier schon drei oder vier Galoppsprünge als Anlauf. Andere bevorzugen ein langsameres Tempo; sie scheinen fast aus dem Stand zu springen. Bei den einen ist die Bewegung flacher, bei den anderen steiler. Das Mitgehen des Reiters muß sich darauf einstellen.

Der mißglückte Sprung

Ärgerlich ist es, wenn das Pferd den Sprung *verweigert*, wenn es plötzlich stehen bleibt oder seitlich ausbricht. Wer auf solchen unverhofften Wechsel in der Bewegung nicht gefaßt ist und nicht entsprechend reagiert, findet sich rasch am Hals seines Pferdes hängend oder auch auf dem Boden sitzend.
Dagegen sind *Stürze* bei diesen niedrigen Sprüngen eigentlich selten. Es sei denn, der Reiter ist so weit „hinter die Bewegung" geraten, daß das Pferd gewissermaßen unter ihm durchspringt oder er beim „Landen" nicht im Gleichgewicht zu bleiben vermag.
Strafen Sie Ihr Pferd nicht, wenn es den Sprung verweigert. Mit Loben nach einem geglückten Sprung kommen Sie weiter. Und: ein aufgeregtes Pferd springt schlecht. Bei diesen an sich gemächlichen Sprüngen liegt die Schuld in neun von zehn Fällen beim Reiter. Meist fehlt ihm einfach der Schneid. Das ist beim Anfänger durchaus verständlich. Aber er sollte bald darüber hinwegkommen. Wie heißt die alte Redensart? „Wirf dein Herz über das Hindernis und springe hinterher!"
Pferde springen williger in Richtung auf den Ausgang der Bahn und zu anderen Pferden hin als vom Stall weg. Das zu wissen kann einmal nützlich sein, wenn ein Pferd einen Sprung konstant verweigert. Aufhören darf man erst, wenn der Sprung geklappt hat; auf keinen Fall darf das Pferd bestimmen, „ich mag nicht mehr". Und wenn sich ein anderer Reiter draufsetzt: drüber muß es! Wobei auch ein umgeworfenes Hindernis nicht der rechte Abschluß ist. Lieber die Stange um ein Loch tiefer machen und einen schönen, mühelosen Sprung als Abschluß. In der Erinnerung an den Erfolg springt das Pferd das nächste Mal williger.

Bei Wettkämpfen treten Sie zunächst nur als Zuschauer auf. Vielleicht erwacht dabei Ihr Ehrgeiz? Um Ihre Sachkunde etwas zu erhöhen, sehen Sie drei der häufigsten Hindernisformen.
Die Anforderungen an Pferd und Reiter steigen den *Turnierklassen* entsprechend: E (Eingangsstufe) — A (Anfänger) — L (leicht) — M (mittel) — S (schwer). Springvermögen, Geschicklichkeit, Gehorsam und Schnelligkeit sind die entscheidenden Punkte. Gerichtet wird im allgemeinen nach Fehlern und Zeit. Fehlerfreiheit ist das wichtigste. Unter den Reitern mit den wenigsten bzw. null Fehlern hat der gewonnen, der den Parcours in der kürzesten Zeit bewältigt hat. Bei der Wertung gelten zum Beispiel:

Hindernis umwerfen	4 Fehlerpunkte
Sturz von Reiter und/oder Pferd	8 Fehlerpunkte
erster Ungehorsam	3 Fehlerpunkte
zweiter Ungehorsam	6 Fehlerpunkte
dritter Ungehorsam	scheidet aus.

Mit „Ausscheiden“ werden noch eine ganze Anzahl von Fehlern geahndet — von einem Zögern über 60 Sekunden vor einem Sprung bis zu „unreiterlichem Verhalten im Verlauf der Springbahn“.

Feldsteinmauer

Oxer

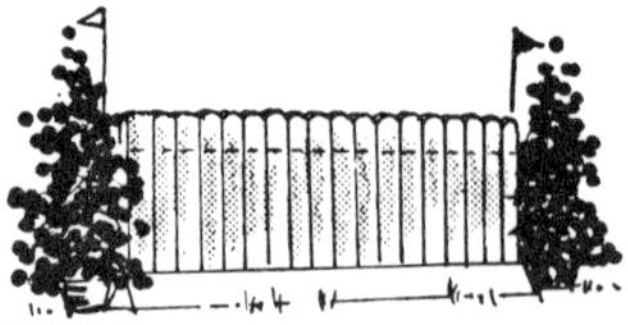

Palisadenzaun

Bild 51. Einige charakteristische Hindernisse

Reiten im Gelände

Ausreiten ist unbestritten der schönste Zweig des Reitsports. Sobald Ihre Reitkünste es erlauben, nimmt Sie der Reitlehrer mit hinaus. Der Ritt durch Feld und Wald entschädigt für viele in der Reitbahn vergossene Schweißtropfen. Für manche Reiter ist Ausreiten Ziel und Erfüllung all ihrer reiterlichen Wünsche — nicht nur wegen des stolzen Gefühls, „gesehen zu werden", sondern weil die freie Bewegung und der Kontakt mit der Natur schöner und beglückender ist als die manchmal doch recht eintönige Arbeit in der Halle.

Vielleicht muß man erst ein paar Reiterjahre auf dem Buckel haben, damit einem die kleinen Fortschritte, die man selbst oder die das Pferd bei der Dressurarbeit macht, die Mühe wert sind, wieder und wieder dasselbe zu üben — bis es endlich klappt. Der Spaß, den alle Beteiligten am Ausreiten haben, ist unmittelbarer.

Denn auch den Pferden sind Wiesen und Wälder offenbar sympathischer als die gekalkten Wände der Reithalle. Was Ihnen von dort als ausgesprochen „müder Bock" in ärgerlicher Erinnerung ist, erweist sich hier auf einmal als temperamentvoller Springinsfeld. Im Gegenteil: war in der Halle das Vorwärtstreiben der Kern Ihrer Bemühung, so ist es jetzt fast umgekehrt: Nur mit Mühe verhindert man manchmal das Davonstürmen.

Sie freuen sich mit Recht auf Ihren ersten Ausritt. Genießen Sie ihn. Nehmen Sie trotzdem ein paar Ratschläge mit hinaus.

Gangarten

Die Bügel werden zum Ausritt zwei oder drei Loch kürzer geschnallt als in der Bahn. Denn auch ein gelegentlicher Sprung gehört zum Geländeritt. Die Gerte ist fürs Gelände nur 60 cm lang; die lange Dressurgerte würde stören.

Schritt, Trab und Galopp fühlen sich hier nicht anders an als bei der Dressur, und auch die Hilfen sind natürlich dieselben. Aber die Funktionen der Gangarten haben sich etwas verschoben und ebenso der Reitstil. Das Vorwärtskommen ist das Entscheidende. Der *Schritt* ist jetzt die Periode der Erholung, der Beruhigung zwischen den Etappen in höherem Tempo. So können die Zügel länger, hingegebener sein als beim Schulschritt, die treibenden Hilfen schwächer.

Im *Trab* werden Sie ausschließlich leicht traben, denn das entlastet die Rückenmuskulatur Ihres Pferdes; es ermüdet weniger — und Sie auch. Alle zweihundert bis dreihundert Meter wird, ohne Kommando, umgesessen, der Fuß gewechselt. Sie spüren an den ersten Trabtritten, bei denen das Pferd noch nicht richtig im neuen Rhythmus trabt, wie es sich auf den alten Takt eingestellt hatte. Jetzt wird also zum Ausgleich das andere Beinpaar belastet.

Entsprechend wird auch der *Galopp* nicht ausgesessen. Man galoppiert vielmehr „im leichten Sitz". Das heißt, man stellt sich etwas in die Bügel und federt in den Knien (fester Knieschluß!) das Auf und Ab der Sprünge aus. Das Gesäß klebt also nicht mehr im Sattel, sondern wischt darüber hin. Je gestreckter das Tempo wird, desto weiter hebt man sich. Entsprechend wird der Oberkörper dabei weiter nach vorn geneigt. Beim ruhigen Arbeitsgalopp sind das nur ein paar Zentimeter; je schneller die Pferde werden, desto mehr nähert sich der Oberkörper der Waagerechten. Ihre Unterschenkel bleiben senkrecht. Zur Verbesserung Ihrer Balance können Sie die Hände auf den Halsansatz des Pferdes stützen.

Im Gegensatz zum Trab wird der Galopp nicht gewechselt. Sie nehmen vielmehr den Galopp, der Ihrem Pferd mehr liegt. Das ist meist der Linksgalopp. (Sie fühlen doch hoffentlich inzwischen, auf welcher Hand Ihr Pferd galoppiert?)

Es ist ja fast selbstverständlich: aber auch beim Leichttraben und beim Galoppieren im leichten Sitz müssen Sie eindeutig auf Ihr Pferd einwirken können, müssen es dirigieren, treiben oder bremsen können. Rasch zu reagieren, ist im Gelände wichtiger als in der Halle! Üben Sie solche Selbständigkeit, wo immer sich dazu Gelegenheit bietet.

Kommandos gibt der Führer einer Abteilung oft in der Zeichensprache. So bedeutet die rechte Faust, einigemal in die Höhe gestoßen, „nächst höhere Gangart!", also je nachdem Trab oder

Bild 52. Zeichensprache im Gelände. Links wird „nächst höhere", rechts „nächst niedere Gangart" signalisiert.

Galopp. Das Umgekehrte, nämlich Durchparieren zum Trab oder Schritt wird signalisiert, indem man den rechten Arm seitlich ausstreckt und ein paarmal nach unten führt, die ausgestreckte Handfläche nach unten.

Abstände

Beim Ausritt sollten die Abstände im Trab und im Galopp größer sein als in der Reitbahn. Ich plädiere für mindestens zwei Pferdelängen, bei höherem Tempo sogar mehr. Halten Sie diesen Abstand ein, auch im Galopp. Es darf sich kein Wettrennen Kopf an Kopf entwickeln. Auch ist immer die Möglichkeit gegeben, daß das Vorderpferd strauchelt oder ausrutscht. Und nur bei genügend großen Zwischenräumen lassen sich dann „Auffahrunfälle" vermeiden. Mit leisem Grausen beobachte ich immer wieder Anfänger-Abteilungen, die in vollem Karacho fast Nase an Schweif daherkommen. Machen Sie einmal (einzeln!) den Versuch, wieviel Meter Bremsweg Sie brauchen, um Ihr Pferd unvermutet aus dem vollen Galopp zum Halten durchzuparieren ...
Und Ihren Vordermann überholen dürfen Sie schon überhaupt nicht. Das nennt man „Überreiten", und das kostet hinterher Runden, siehe Seite 133.

Aktiv mitreiten

Schon für die Dressurausbildung in der Abteilung hatte ich Ihnen empfohlen, alle Biegungen, Ecken und dergleichen selbst aktiv mitzureiten und sich nicht nur dem Herdentrieb Ihres vierbeinigen Untersatzes zu überlassen. Dieser Rat gilt noch mehr für das Gelände. Denn auch in einer Abteilung sind Sie dafür verantwortlich, welchen Weg Ihr Pferd nimmt! Ihre Augen sind besser als die eines Pferdes, und Sie haben den besseren Überblick. Seien Sie also ein „vorausschauender Reiter". Ersparen Sie Ihrem Pferd, mit den Hufen gegen Steinbrocken, Stubben oder hochstehende Baumwurzeln zu schlagen. Und wenn es doch einmal ins *Stolpern* kommt, müssen Sie wie im Reflex eine halbe Parade geben, vielleicht sogar einen etwas kräftigeren Ruck in beiden Zügeln, damit aus diesem Stolpern nicht mehr wird. Wobei ich zugebe, daß es ausgesprochene Stolperer unter den Pferden gibt. Ihre Aufgabe als Reiter ist es dann, durch treibende Hilfen zu erreichen, daß die Tritte höher werden, daß das Pferd aufmerksamer daherkommt.

Und falls es nicht als Verstoß gegen die Disziplin der Abteilung empfunden wird, reiten Sie ruhig hin und wieder links an einem Baum vorbei, auch wenn ihn die Abteilung auf der anderen Seite passiert (Schlangenlinien!). Oder erinnern Sie sich und Ihr Pferd an Schenkelweichen und treiben Sie es schräg von der einen Wegseite zur anderen. Natürlich nur im Schritt oder im Trab und auch nur, wenn Sie Ihre Mitreiter nicht stören (reiten Sie zum Beispiel als letzter). Aber so alle Viertelstunde könnten Sie das Pferd an Ihre Existenz erinnern. Es bleibt dann aufmerksamer.

Der unverhoffte Satz

Aufmerksam müssen aber auch Sie immer sein. Sie wissen, Pferde erschrecken leicht. Sie mögen in der Reithalle noch so unerschütterlich wirken, im Freien jagt ihnen ein Stück weißes Papier oder ein Stapel Holz, der letzte Woche noch nicht hinter der Biegung am Weg stand, einen Schrecken ein. Davonlaufen ist die natürliche Reaktion, zumindest ein Satz zur Seite. Also nicht im Sattel träumen! Ich bin um ein Haar an einer stabilen Buche gelandet, weil mein liebes Pferd im vollen Galopp über eine dahergeblasene

Zeitung erschrak und den nächsten Galoppsprung nach links machte — was mir zu unerwartet kam.

Äste und Zweige

Auch umsichtige Forstverwaltungen können nicht alle Äste absägen, die tiefer als 2,50 m an Wegen wachsen. Dünne Zweige wehrt man mit dem Unterarm vom Gesicht ab. Nicht festhalten, sonst treffen sie womöglich Ihren Hintermann. Die Zügel hält man solange in einer Hand. Sie werden sich aber auch immer wieder tief bücken müssen, um ungestreift unter dickeren Ästen hindurchzukommen. Üben Sie's schon vorher ein paarmal ohne Ast. Dann klappt's „mit" desto besser. Beugen Sie Ihr Haupt nicht auf den Hals des Pferdes, sondern rechts (oder links) daran vorbei. So kommen Sie tiefer und laufen nicht Gefahr, auch noch Nasenstüber zu bekommen. Behalten Sie aber auch jetzt noch den Weg im Auge. Man sollte nie „blind" drauflosreiten.

Bild 53. Zweige hält man sich mit dem rechten Unterarm vom Gesicht ab. Die linke Faust hält solange beide Zügel.

Bild 54. Muß man sich tief bücken, nimmt man den Kopf neben den Pferdehals

Feuchte Stellen

Sumpfige Stellen oder auch nur die großen Pfützen vom letzten Gewitter können gefährlich sein. Glitschig sind sie fast immer. Vermindern Sie das Tempo. Gehen Sie vom Galopp in den Trab oder, wenn Sie das Gelände nicht kennen, in den Schritt. Das dürfen Sie nach meiner Überzeugung auch dann, wenn der Teil der Abteilung vor Ihnen einfach durchgebraust ist. *Sie* sollen Herr der Lage sein. Ist Ihr Können gewachsen, wird auch das Zutrauen größer. Übrigens, den Trab sitzen Sie an solchen Stellen aus. So haben Sie mehr Einwirkung auf Ihr Pferd. Über kleine Pfützen setzen die Pferde gern in flachem Sprung hinweg. Richten Sie sich darauf ein, damit Sie richtig „mitgehen" und nicht hinter die Bewegung geraten.
Durch Sümpfe und Moore reiten Sie bitte nur, wenn Sie wissen, daß der Weg tragfähig bleibt. (In der Abteilung können Sie natürlich darauf vertrauen, daß die Spitze die Wege kennt. Aber eines

Tages reiten Sie auch auf eigene Faust.) Ich wollte einmal ein kleines, zugegebenermaßen etwas feuchtes Waldtal durchqueren; da war ein Pfad, der mir als Spaziergänger ganz geläufig war — und auf einmal stand mein Pferd fast bis zum Bauch im Morast. Raus aus dem Sattel, Zügel übern Hals, die Gerte geschwungen und das Pferd angeschrien! Tatsächlich, das erschreckte Roß machte die vier, fünf Sätze, die ihm wieder festen Boden unter die Hufe brachten.
Sonst hätte ich zu Fuß Vorspannpferde und Gurte holen müssen — und mein Ruf als leidlich zuverlässiger Reiter hätte stark gelitten. Im nächsten Bach hab' ich meinem Pferd die schwarzen Beine saubergewaschen.

Wasserläufe

Junge Pferde haben oft Scheu, ins Wasser zu gehen. In der Abteilung überwinden sie sie am ehesten, und bald macht es ihnen offenbar Spaß, im seichten Wasser zu planschen. Mit anderen Worten: An Furten kann man Wasserläufe recht gut überqueren. Geht ein unerschrockenes Pferd voraus, kann ihnen das Wasser sogar fast bis zum Bauch gehen. Manche Pferde sind übrigens begeisterte Schwimmer; aber bis zu solchen Kunststücken, Flüsse neben dem Pferd schwimmend zu überqueren, wollen wir es jetzt nicht treiben.
Die einen Pferde springen willig über einen kleinen Graben. Andere machen ein Theater, als gelte es Rekorde. Das mag an den oft weichen Ufern liegen, also am etwas unsicheren Absprung — oder auch an schmerzlichen Erinnerungen, wenn ungeübte Reiter sie mit den Zügeln im Maul gerissen haben. Am besten glückt der Sprung, wenn schon einige Pferde auf der andern Seite gelandet sind. Dann siegt der Herdentrieb. Helfen Sie Ihrem Pferd hinüber: Reiten Sie beherzt auf das Bächlein zu, machen Sie dem Pferd das seitliche Ausbrechen schwer, indem Sie beide Zügel bis zum Absprung fest in der Hand halten. Und dann im Sprung: nachgeben mit der Hand, mitgehen und wieder weich einsitzen. Siehe Seite 107.
Kleinere Gräben werden nicht selten aus dem Stand gesprungen. Die Pferde „gucken“ erst mal. Passen Sie gut auf den Moment des Absprungs auf, damit Sie nicht hinter die Bewegung geraten. Hier

tut ein Halsriemen gute Dienste, in den Sie rasch hineingreifen können.

Und wenn Sie mal allein unterwegs sind, wenn niemand mit gutem Beispiel voranspringt oder von hinten mit der Gerte treibt, und es geht und geht nicht — dann beharren Sie nicht zu lang auf dieser Stelle, sondern suchen Sie sich eine andere. Wo das Bächlein vielleicht noch schmaler ist oder wo viele Hufspuren auch Ihrem Pferd zeigen, daß es sooo gefährlich gar nicht ist. Nur etwas sollten Sie nicht tun: ganz nachgeben. Das Pferd würde dann immer häufiger auch ganz leichte Sprünge verweigern. Kurz gesagt: drüber muß es!

Und wenn es dann drüben ist: loben, loben, loben.

Durchgehen

Offensichtlich werden die Pferde auch ab und zu vom „Rausch der Geschwindigkeit" gepackt. Es braucht gar keinen besonderen Anlaß, manchmal löst einfach die galoppierende Abteilung, die Freude am Loslegen-Dürfen das Davonstürmen aus, gerade bei jüngeren Pferden. Und dann scheren sie sich wenig um die zaghaften Versuche ihres etwas verschreckten Reiters, sie zu bremsen.

Schulmäßig sollen Sie auch in solchen Situationen nicht hart werden, sondern durch fortgesetztes Annehmen und Nachgeben im Zügel Ihr Pferd zum Parieren bringen. Indessen — manchmal ist dafür einfach weder Zeit noch Raum. Kommen Sie also mit halben oder ganzen Paraden nicht mehr „durch", dann müssen Sie zu harten Maßnahmen greifen. Die eine Faust hält gegen, die andere nimmt den Zügel *hoch* an und gibt nach und nimmt wieder hoch und kräftig an. Kopf und Hals sollen hochgezogen werden. Mit Schenkel und Gewicht müssen Sie dabei weiter treiben, denn die Hinterhand soll untertreten, das Pferd hinten niedriger werden. Mit bloßem Zerren am Zügel bei zurückgelegtem Oberkörper und weggestreckten Schenkeln würden Sie eher das Gegenteil erreichen.

Ich möchte aber noch einmal betonen: Was ich gerade geschildert habe, ist die Notbremsung. Im Normalfall parieren Sie Ihr Pferd bitte weich durch.

Ist genügend Platz vorhanden, können Sie das Pferd auch auf

einen großen Kreis dirigieren, den Sie immer enger ziehen. Vergewissern Sie sich aber vor dem Ausbiegen, daß kein Hintermann Sie seitlich rammt.

Sturz

Auch das kommt vor. Reiter, die noch nie vom Pferd gefallen sind, wirken ein bißchen unglaubwürdig. Und die wenigsten Stürze enden wirklich böse. Natürlich brummt einem manchmal der Kopf oder die Kehrseite oder beides. Und zumal im Gelände wird man ganz schön schmutzig. Meist geht alles so schnell, daß nicht viel Zeit zum Überlegen bleibt. Dennoch drei Ratschläge:

1. Lassen Sie die Steigbügel nicht zu weit nach hinten rutschen, halten Sie sie möglichst am Fußballen. Sie könnten sonst im Bügel hängenbleiben und mitgeschleift werden. Darauf, daß der Bügelriemen aus der Sicherheitsklappe am Sattel ausklinkt, können Sie sich nur verlassen, wenn dieser Teil so gepflegt ist, wie es sich „eigentlich" gehört (vgl. Seite 131).
2. Machen Sie sich beim Fallen rund und weich, ziehen Sie den Kopf ein, schützen Sie ihn mit den Armen. Und bleiben Sie zunächst ruhig liegen, bis die andern Reiter vorbei sind. Die Pferde passen auf und treten, wenn es sich irgend machen läßt, nicht auf den Reiter am Boden.
3. Ist der Sturz sanft, dann behalten Sie möglichst die Zügel oder greifen Sie sie sich wieder, so schnell es geht. Bei schwungvollen Stürzen die Zügel loslassen! Sonst geraten Sie womöglich doch unter das Pferd.

Stürzt ein Mitreiter, so flitzt der nächstbeste aus dem Sattel, gibt seinem Nachbarn die Zügel und kümmert sich um den Gestürzten. Ein anderer fängt das ledige Pferd ein, und zwar sofort, solange es selber durch den Sturz noch etwas verdutzt herumsteht. Sonst macht es sich womöglich solo auf den Weg nach Hause.

Bergauf und bergab

Längere *Steigungen* sollte man zur Schonung der Pferde im Schritt reiten. Das gilt besonders bei längeren Wanderungen zu Pferd. An sich können Pferde beachtliche Steigungen und Böschungen bewälti-

Bild 55. Je steiler der Weg bergauf führt, desto weiter hebt sich der Reiter nach vorn. Nie am Zügel festhalten, lieber am Pferdehals!

Bild 56. Beim Bergabreiten stützt man sich auf den Widerrist. Das Pferd muß immer senkrecht zum Hang gehen.

gen. Überlassen Sie es in solchen Fällen soweit wie möglich dem Pferd, wo und wie es gehen will. Neigen Sie sich weit nach vorn, das entlastet den Pferderücken. Wenn's ganz steil wird, fassen Sie Ihr Pferd um den Hals. Auf keinen Fall dürfen Sie sich an den Zügeln festhalten.

Schon ein verhältnismäßig sanftes *Gefälle* kann die Tritte im Trab unsicher machen. Neigt sich der Weg noch stärker, reiten Sie von ganz alleine Schritt. Steile Abhänge und Böschungen werden abwärts ähnlich bewältigt wie aufwärts: Gewicht nach vorn, fester Knieschluß, langer Zügel. Stützen Sie sich auf den Halsansatz. Am Steilhang scheint sich das Pferd fast auf seine Hinterhand zu setzen. Es rutscht dann oft mehr, als daß es tritt. Dabei muß das Pferd *senkrecht zum Hang* bleiben. Ihre Aufgabe ist es also, mit Schenkeldruck und Zügelhilfe einzugreifen, wenn die Hinterhand links oder rechts „auszubrechen" droht. Sonst könnten Sie stürzen.

Stürmische Pferde muß man unter Umständen auch steil bergab am kurzen Zügel reiten, damit sie nicht zu schnell werden.

Straßenverkehr

Die meisten Reitstallpferde sind an Autos und andere Motorfahrzeuge gewöhnt. Erkundigen Sie sich aber vor dem Ausritt, ob Ihr

Pferd wirklich „autofromm“ ist, damit Sie keine Überraschung erleben. Mit Ruhe und gutem Zureden gewöhnen sich auch nervöse Pferde an knatternde Motoren, freilich nicht von heute auf morgen.

Beim *Überqueren einer Fahrstraße* ist Vorsicht geboten. Die Abteilung hält, und je nach Verkehrslage reitet man grüppchenweise und im Schritt hinüber. Im Trab könnten die Pferde auf der glatten Fahrbahn ausrutschen. Bei Anfängern wird der Reitlehrer diesseits der Straße bleiben, bis auch der letzte die Straße überquert hat. Auf alle Fälle wartet die Abteilung, bis alle „drüber“ sind, bevor sie weiterreitet.

Muß man eine *Straße entlang* reiten, so geschieht das am äußersten rechten Rand.

Mücken

Fliegen, Bremsen und Mücken sind im Sommer für Pferd und Reiter sehr lästige Begleiter. Es gibt verschiedene Tinkturen und Sprays, die diese Blutsauger vertreiben. Ein altes Hausmittel ist Petroleum. Man reibt Beine und Bauch des Pferdes mit ein paar Tropfen ein.

Lahmen

Lahmt Ihr Pferd, so geben Sie bitte gleich dem Anführer der Abteilung Bescheid (Zuruf von Reiter zu Reiter bis zur Spitze). Absitzen, die Zügel dem Nebenmann übergeben und die Hufe prüfen. Einen eingetretenen Nagel zieht man nach Möglichkeit gleich heraus. Hat sich ein Stein im Hufeisen verklemmt, schlägt man ihn mit einem anderen heraus. Liegt eine ernsthafte Verletzung vor oder läßt sich der Grund für das Lahmen nicht finden, so reitet man auf dem kürzesten Weg im Schritt zum Stall. Notfalls muß man absitzen und sein Pferd führen.

Pausen

Einen Ausritt von einer Stunde reitet man im allgemeinen im Wechsel von Schritt, Trab und Galopp ohne Pause. Bei einem Ritt

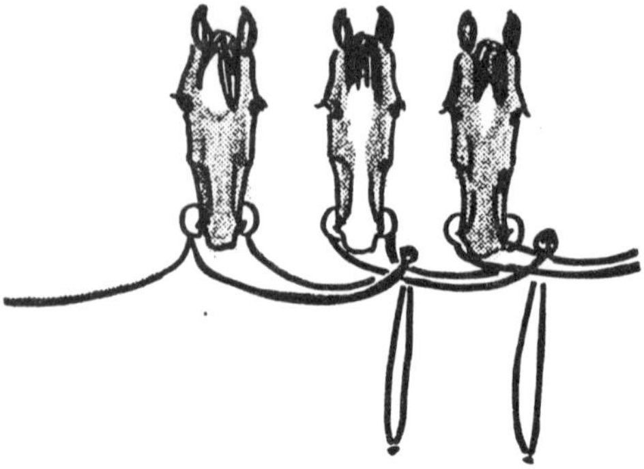

Bild 57.
Durchgeschlaufte Zügel

über längere Strecken macht man jede Stunde 10 bis 15 Minuten Pause. Den letzten halben Kilometer reitet man im Schritt, damit die Pferde nicht schwitzend herumstehen. Nach dem Absitzen schiebt man die Bügel hoch und lockert den Sattelgurt. Überzeugen Sie sich, daß alle vier Eisen „dran" sind, daß sich kein Stein im Eisen verklemmt hat und sich unter dem Sattel keine Druck- oder Scheuerstellen ankündigen. Diese Kontrollen sind besonders wichtig, wenn Sie auf einem längeren Ritt darauf angewiesen sind, daß Ihr Pferd in Form bleibt.

Bei längeren Ritten oder Wanderungen zu Pferde legt man etwa alle drei Stunden eine halbstündige Pause ein. Dafür wählt man einen Rastplatz, wo die Pferde an einem Brunnen oder einem klaren Bach saufen können. Zum Tränken schnallt man den Kinnriemen lockerer. Erhitzte Pferde dürfen nicht gleich saufen!

Während der Rast beaufsichtigt ein Reiter etwa vier bis sechs Pferde. Man führt die Pferde in eine Reihe nebeneinander, nimmt die Zügel vom Hals, knotet sie kürzer und steckt von links nach rechts die Zügel des rechts stehenden Pferdes durch die seines linken Nachbarn. Das letzte Zügelpaar hält der „wachhabende" Reiter. So können die Pferde den Hals lang machen und grasen.

Niemals die Pferde mit den Zügeln fest anbinden! Einen fest angebundenen Zügel kann ein Pferd mit einem plötzlichen kräftigen Ruck seines Kopfes abreißen; besonders dann, wenn die Zügel in der Mitte zusammengeschnallt sind. Verfügt man über Militärsättel, so lassen sich die Pferde auch paarweise koppeln. Man stellt sie entgegengesetzt nebeneinander und schnallt mit einem Riemen das

Kopfstück des einen am Sattel des anderen fest. Vor dem Weiterreiten dürfen Sie nicht vergessen, die gelockerten Sattelgurte und den Kinnriemen wieder festzuschnallen.

Einzeln im Gelände

Beobachten Sie schon beim Ausritt in der Abteilung, wie der Reitlehrer diese Stunden aufbaut, wohin er Sie führt und was er sonst veranlaßt. Fragen Sie ihn hinterher nach seinen Gründen, wenn Ihnen unterwegs irgend etwas nicht eingeleuchtet hat. Es wird einige Zeit dauern, bis Sie ohne Führer ausreiten dürfen. Denn es gibt eine ganze Reihe von Situationen, denen der Neuling noch nicht gewachsen ist, auch wenn er sonst schon eine ganz passable Figur macht. Es ist deswegen auch keine übertriebene Vorsicht, grundsätzlich *nicht allein auszureiten,* sondern immer zu zweit.
Aber einmal ist es sicher soweit, daß Sie in einer kleineren Gruppe ausreiten dürfen oder daß man Ihnen sogar ein paar jüngere Reiter anvertraut. Toben Sie ihnen bitte nicht davon, sondern machen Sie Ihre weniger erfahrenen Reiterkameraden mit Umsicht mit all dem vertraut, was Sie inzwischen gesehen und gelernt haben, von der tiefgründigen, schönen Galoppstrecke bis zu der Waldecke, an der abends die beiden Rehe stehen. Und bringen Sie Pferde und Reiter vollzählig, aber nicht keuchend und schweißnaß zum Stall zurück!
Genauso wie man die ersten paar hundert Meter im Schritt reitet, damit die Pferde die Stallsteifigkeit allmählich verlieren, legt man auch die letzten fünf Minuten im Schritt zurück. Aus praktischen wie aus „pädagogischen" Gründen: Die Pferde sollen trocken am Stall ankommen — und ebenso muß man ihre heftige Tendenz zum Stall, zur Krippe zurück, bewußt bremsen, weil sie sonst das nächste Mal mit Anfängern, die ihrer Sache noch nicht so recht sicher sind, heim galoppieren.
Überlegen Sie sich den für Tageszeit und Wetter günstigsten Weg. In die Reviere mit tiefgründigem, feuchtem Lehm lenken Sie Ihre Schritte nur, wenn's lange nicht mehr geregnet hat. Wo der Boden sandig ist, reitet sich's auch unmittelbar nach einem tüchtigen Guß gut. Und war da nicht auch ein frisch geschotterter und gewalzter Weg, den man die ersten vier Wochen meiden muß, will man sich

nicht vorsätzlich das Wohlwollen der Gemeinde- oder Forstverwaltung verscherzen?

Apropos Wohlwollen: Nehmen Sie Rücksicht auf Spaziergänger. Es ist schlechter Stil, an alten Mütterchen im Galopp vorbeizupreschen und sie dabei mit Dreck zu bespritzen.

Auf befestigten Wegen sollte man überhaupt nur Schritt reiten. In den höheren Gangarten strapaziert der harte Untergrund die Sprunggelenke zu sehr. Sandige Reitwege sind am schönsten. Aber auch auf Waldwegen galoppiert sich's mit Genuß. Ohne Weg den Wald durchkreuzen dürfen Sie nur, wenn das vom Förster bzw. Waldbesitzer ausdrücklich erlaubt ist! Und daß Sie in Baumschulen, Wiesen oder bestellten Feldern nichts zu suchen haben, ist ohnedies klar. Ausnahme: Stoppelfelder nach der Ernte.

Nehmen Sie einen abwechslungsreichen Weg. Wechseln Sie die Gangarten. Legen Sie immer wieder Verschnaufpausen im Schritt ein. Erst wenn die Pferde wieder ganz ruhig atmen, können Sie zur nächsten Trab- oder Galoppstrecke ansetzen. Im Trab immer wieder den Fuß wechseln! Und riskieren Sie ruhig den Sprung über die frisch gefällte Eiche dort.

Der zweitbeste Reiter gehört ans Ende der Gruppe. Es könnte ja mal was passieren. Achten Sie darauf, daß Ihre Abteilung nicht auseinanderreißt. Warten Sie vor der Wegegabel, bis alle wieder versammelt sind. Sie hätten es damals auch nicht geschätzt, wären Ihnen die andern, die schon sicherer im Sattel saßen, auf und davon.

Prägen Sie sich Wege und Wegmarkierungen ein. Wenn Sie wirklich einmal glauben, Sie hätten sich verirrt, dann überlassen Sie Ihrem Pferd getrost die Führung. Es findet den Weg zum Stall allemal.

Dämmerung und Nacht

Im September geht die Sonne von Woche zu Woche eine Viertelstunde früher unter. Sind Sie also abends das eine Mal noch bei guter Helligkeit zurückgekommen, so geraten Sie eine Woche später vielleicht schon in die Dämmerung. Bei schlechtem Wetter wird es früher finster und im Wald eher als auf freiem Feld. Doch haben Sie auch nach Sonnenuntergang eine gute Viertelstunde lang noch genug Licht, um zügig zu reiten.

Geraten Sie doch einmal in die Dunkelheit, so reiten Sie bitte Schritt. Trab oder Galopp können Sie allenfalls bei Vollmond und einem schönen Sandweg riskieren.
Müssen Sie nachts auf einer Straße reiten, so gibt's zwei Möglichkeiten: Entweder Sie führen eine brennende Laterne mit, so daß jeder Autofahrer Sie eindeutig wahrnehmen kann, oder Sie stellen sich jedesmal, wenn einer kommt, so weit neben die Straße, daß Sie nicht gefährdet werden können.

Gewitter

Manche Pferde werden nervös, wenn es blitzt und donnert, andere lassen sich nicht aus der Ruhe bringen. Überrascht Sie das Unwetter im Wald, so reiten Sie unverdrossen heimwärts. Unterstehen auch unter dem scheinbar dichtesten Baum hilft auf die Dauer nichts. Sie werden so oder so naß. Und beim Weiterreiten den Weg entlang ist auch die Blitzschlaggefahr am geringsten.
Bei einem heftigen Gewitter über ein freies Feld zu reiten, scheint mir riskanter. Denn dann sind Sie eindeutig der höchste Punkt — und der wird vom Blitz angeblich bevorzugt. Andererseits weiß ich von keinem Reiter, der vom Blitz getroffen wurde. Außer in dem schönen Lied von Karl Valentin über die „alten Rittersleut":

„So ein früh'rer Rittersmann hatte so viel Eisen an.
Die meisten Ritter, i' muaß's sagen,
hat deswegen der Blitz derschlagen."

Heimkommen

Daß man das letzte Stück vor dem Stall Schritt reitet, habe ich schon erwähnt. Bei warmem Wetter sollte man dem Pferd nach dem Absatteln die Sattellage waschen (die Fläche, die der Sattel bedeckt und wo das Pferd folglich am stärksten geschwitzt hat). Die Beine spritzt man am einfachsten mit dem Schlauch ab. Sonst nimmt man auch dazu Eimer und Schwamm.
Die Hufe werden ausgekratzt und nach dem Trocknen gefettet. Fehlt ein Eisen, meldet man es im Stall, damit es der Schmied wieder ersetzt. Ebenso müssen Sie angeben, wenn Ihr Pferd sich verletzt hat, wenn es lahmt oder dergleichen.

Kommt man im Herbst oder im Winter mit einem verschwitzten Pferd heim (sowas kann zum Beispiel bei einem nervösen Pferd vorkommen, auch wenn man ruhig geritten ist), so muß man es mit Stroh trockenreiben (s. Seite 91).

Der erste Ausritt im Frühjahr

Pferde, die den Winter über nur in der Reitbahn gegangen sind, reagieren beim ersten Ausritt oft auch auf Kleinigkeiten hochgradig nervös. Seien Sie entsprechend vorsichtig. Mir scheint, es sind weniger die Frühjahrsgefühle, die die Pferde jetzt unvermutete Sätze machen lassen, als daß sie sich erst wieder an die freie Natur gewöhnen müssen.

Wandern zu Pferd

Ritte über mehrere Tage wollen exakt vorausgeplant sein. Man muß sich nicht nur über den einzuschlagenden Weg im klaren sein — schließlich möchten Sie ja nicht die Landstraße entlangreiten —, sondern auch über die Plätze, wo man für Pferd und Reiter Unterkunft und Verpflegung findet. Sicher, man kann auch einen Futtersack voll Hafer mitnehmen. Aber wenn man die Pferde weniger bepacken muß, macht das Reiten mehr Spaß.

Bei längeren Wanderungen empfiehlt es sich, Wäsche zum Wechseln und dergleichen per Post vorauszuschicken. Im selben Paket spediert man die getragenen Stücke wieder heim.

Für Wanderungen ist ein (passender!) Militärsattel eine feine Sache. An ihm lassen sich Satteltaschen und dergleichen einfach anschnallen. Der Sattler näht Ihnen aber auch an einen zivilen Sattel entsprechende Ösen.

Bequeme und strapazierfähige Bekleidung ist für lange Ritte besonders wichtig. Auch ein derber Regenschutz gehört dazu. Daß er wirklich dicht ist, ist wesentlicher als modische Perfektion. Binden Sie ihn zusammengerollt vorn an den Aufhängeriemen des Sattels. Dann ist er gleich zur Hand.

Etwas zu essen und zu trinken gehört ebenso zur Ausrüstung wie ein Kasten „Erste Hilfe“ für Tier und Mensch. Auf größere Etappen nimmt man Ersatz-Hufeisen und Beschlagwerkzeug mit!

Wo sich nicht nur alterprobte Reitersleute zusammengefunden haben, sollte die Tagesstrecke zunächst nicht über 25 km lang sein. Später kann man sie bis auf 40 km oder etwas mehr steigern. Im Schritt legt man zu Pferd 6 bis 7 km in der Stunde zurück, im Trab 10 bis 12 km und im Arbeitsgalopp 18 bis 20 km. Pausen eingerechnet, setzt man in einigermaßen ebenem Gelände pro Stunde etwa 8 bis 10 km Marschleistung an. Sind größere Höhenunterschiede zu überwinden, so kann man 100 m Höhendifferenz wie 1 km Entfernung bewerten.

Pferdepflege, Füttern und Tränken

Wenn Sie auch nur einigermaßen Zeit haben, sollten Sie eine Weile im Stall mitarbeiten. Man bekommt ein ganz anderes Verhältnis zu den Pferden, wenn man sie nicht einfach fertig gesattelt in Empfang nimmt und nach der Stunde mit spitzen Fingern wieder zurückreicht, sondern wirklich auch einmal beim Misten geholfen, gefüttert und zwanzig Striche auf die Stallgasse geklopft hat. Was das schon wieder ist?

Pferde putzen

Jeden Morgen wird das kurze *Deckhaar* kräftig durchgebürstet. Nicht nur wegen der Sauberkeit, sondern weil diese Massage auch die Durchblutung von Haut und Muskeln anregt. Was man alles zur Pferdepflege braucht, ist unten skizziert. Jedes Pferd soll seine eigenen Geräte haben. Oder gibt's bei Ihnen zu Hause eine Familienzahnbürste?
Man putzt das Pferd von vorn nach hinten. Zunächst rauhen Sie mit dem Striegel das Fell gegen den Strich auf; kleine Schmutzkrusten kratzt man los — mit Gefühl! Nichts zu suchen hat der

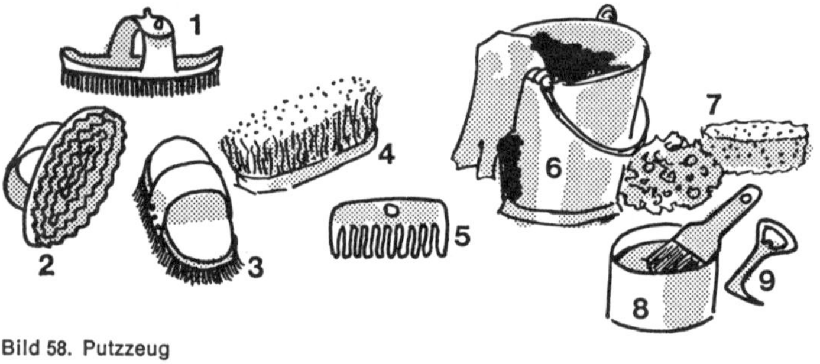

Bild 58. Putzzeug
1 Finnenstriegel
2 Reformstriegel
3 Kardätsche
4 Wurzelbürste
5 Mähnenkamm
6 Eimer und Lappen
7 Zwei Schwämme
8 Huffett und Pinsel
9 Hufräumer

Bild 59. Beim Putzen nimmt man auf der linken Seite des Pferdes die Kardätsche in die linke und den Striegel in die rechte Hand. Auf der anderen Seite macht man es umgekehrt.

Blechstriegel am Kopf und an den Beinen, wo Knochen direkt unter der Haut liegen. Da können Sie, falls nötig, den Gummistriegel nehmen.

Dann wird ausgiebig gebürstet; erst die linke, dann die rechte Seite. Auf der linken Seite des Pferds nehmen Sie die Putzbürste (Kardätsche) in die linke Hand, den Blechstriegel in die rechte. Nachher, auf der anderen Seite, wird gewechselt. „Lang der Strich und kurz die Pause" heißt das Motto. Bürsten Sie also in langen, kräftigen Touren mit dem Strich (hinschauen, wie die Haare an Wirbeln gewachsen sind!) und streichen Sie in der „Pause" die Bürste jedesmal am Striegel ab. So nach etwa einem Dutzend Bürstenstrichen klopfen Sie den Striegel auf dem Betonboden der Stallgasse aus. Das weißlich-graue Häufchen nennt man „Strich"; es sind Hautschuppen, Staub und dergleichen. Die Ausbeute im Striegel durch Kratzen an der Stallwand mit Kalk anzureichern, damit's nach mehr aussieht, ist nicht die feine englische Art. Zwanzig Striche sollten Sie von Ihrem Pferd schon 'runterkriegen.

Vergessen Sie beim Bürsten nicht den Kopf, den Hals unter der

Mähne, den Bauch und die Innenseiten der Schenkel. Hüpft und wiehert Ihr Pferd dabei unverhofft, ist es kitzlig. Also sachte! Es soll auch schon Pferde gegeben haben, die ihren sie fleißig bürstenden Reiter heftig ins Gesäß zwickten. Weist Ihr Pferd solche hinterhältigen Tendenzen auf, dann bitte nicht hauen! Drücken Sie immer wieder geduldig, aber entschieden den Kopf mit den vergnügt entblößten Zähnen von sich weg. Immer wieder. Bis das Pferd resigniert: Dieser Reiter ist zu wachsam.

Das *Langhaar* von Mähne und Schweif glätten Sie mit Kamm oder Gummistriegel. Die Mähnenhaare sollen Sie kräftig bürsten, den Schweif nicht. Allenfalls im Bereich der Schweifrübe. Im übrigen wird der Schweif von Hand verlesen, also entwirrt. Stellen Sie sich dabei nicht direkt hinter ihr Pferd. Es könnte einmal unverhofft erschrecken und ausschlagen.

Anschließend waschen Sie *Nüstern und Augen* mit dem einen Schwamm aus; für After und Geschlechtsteile nehmen Sie den anderen. Natürlich müssen die Schwämme entsprechend gekennzeichnet sein.

Wie man *Hufe* auskratzt, steht schon auf Seite 30. Von Zeit zu Zeit werden sie außen gefettet; vor allem bei schlechtem Wetter, wenn sie länger naß waren. Halten Sie bitte die Unterseite aller vier Hufe gut in Schuß. Wenn es da anfängt zu stinken, kündigt sich „fauler Strahl“ an, eine Zersetzung der Hornsubstanz. Man pinselt den Huf mit Holzteer ein und achtet darauf, daß die Streu möglichst sauber und trocken ist. „No hoof, no horse“ sagen die Engländer, und die verstehen etwas davon: ohne Hufe kein Pferd.

Nach einem sommerlichen Ausritt dem Pferd die Sattellage, den Bauch und die Beine *abzuwaschen*, habe ich Ihnen schon auf Seite 126 empfohlen. Wenn's keinen Schlauch mit einem sanften Strahl gibt, holen Sie sich dazu Wurzelbürste, Schwamm und einen Eimer Wasser, genauer gesagt, deren mehrere. Wenn's kälter ist, geht das nicht mehr. Da muß man warten, bis der Dreck getrocknet ist, und dann mit der Kardätsche 'ran.

Alle vier bis sechs Wochen soll das Pferd dem *Hufschmied* vorgestellt werden. Er entscheidet, ob neue Eisen nötig sind. Ein verlorengegangenes Eisen muß natürlich gleich ersetzt werden. Sonst nützt sich der Huf zu sehr ab.

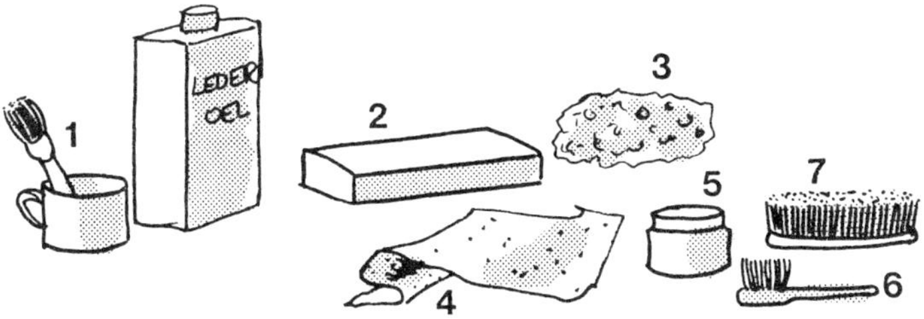

Bild 60. Was man zur Lederpflege braucht.
1 Lederöl und Pinsel
2 Lederseife
3 Schwamm
4 Lappen
5 Schuhcreme
6 Auftragbürste
7 Blankputzbürste

Einmal in der Woche sollte alles *Lederzeug* gepflegt werden, also Sattel und Trensenzaum. Dazu braucht man

Lederseife mit Glycerin,
Schwamm und Eimer,
Lederfett und Poliertuch.

Tragen Sie die Seife mit dem feuchten Schwamm auf, lassen Sie sie etwas einziehen, dann wischen Sie sie wieder ab. Solange das Leder noch feucht (aber nicht mehr naß!) ist, reiben Sie es mit wenig Lederfett ein. Ausnahme: die Sitzfläche des Sattels. Sie wird nicht gefettet, sonst kriegen Sie einen dunklen Hosenboden.

Prüfen Sie dabei auch gleich, ob die Sicherheitsklappe, in der der Steigbügel hängt, funktioniert. Festgerostet kann sie nichts helfen! (Vgl. Seite 119.) Sehen Sie sich auch die Steigbügelriemen genau an: ausgerissene Löcher sind gefährlich, solche Riemen sollten sofort ersetzt werden. Auch genähte oder geflickte Bügelriemen sind nach meiner Ansicht ein bewußt eingegangenes Risiko!

Daß die *Metallteile* — Trensengebiß und Ringe, Schnallen und Dorne — in der Sonne funkeln müssen und weder Rost noch

Bild 61. Das bewegliche „Schloß" soll bei Gefahr den Bügelriemen freigeben. Wenn die Sicherheitsklappe eingerostet ist, geht das nicht.

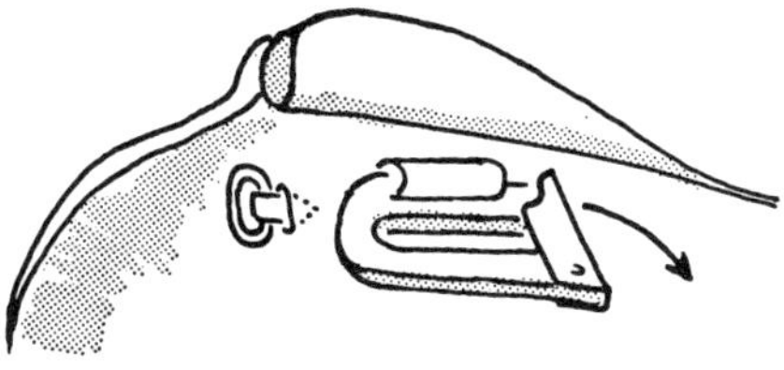

Grünspan angesetzt haben dürfen, ist klar. Aber auch keine angetrockneten Häckselteilchen. Nehmen Sie zum Scheuern bitte nur ganz gewöhnlichen Sand. Das chemische Zeug schmeckt den Pferden nicht.

Der *Filz* wird kräftig ausgebürstet. In nicht allzu großen Abständen sollte man auch den Schweiß aus ihm herauswaschen.

Füttern und Tränken

Dreimal am Tag wird *gefüttert*: frühmorgens, mittags und abends. Abends gibt's die größte Portion, denn anschließend können die Pferde in Ruhe verdauen. Man rechnet im Durchschnitt pro Tag 5 kg Hafer und 6 kg Heu. Hafer ist das ideale Kraftfutter; zur Abwechslung nimmt man zwischendurch auch andere Getreide. Eine besonders kräftige Speise ist Mash, ein Gemisch aus Hafer, Weizenkleie und Leinsamen, das mit kochendem Wasser überbrüht wird.

Heu und Stroh faßt man unter dem Begriff *Rauhfutter* zusammen. Kleeheu und Luzerne sind am nahrhaftesten, aber auch gegen gutes Wiesenheu ist nichts einzuwenden.

Geschnittenes Heu heißt Häcksel und wird den Pferden unter den Hafer gemischt, die zu hastig fressen. Stroh holt sich das Pferd nach Bedarf aus der Streu. Den Hafer schüttet man in die Krippe, das Heu kommt in die Raufe. Zwischendurch gibt es auch mal Saftfutter; das sind Rüben aller Art.

Vor und nach dem Füttern wird *getränkt*. Beobachten Sie einmal, wie das Wasser in großen Schlucken die Speiseröhre Ihres Pferdes entlangläuft! Daß erhitzte Pferde kein kaltes Wasser in vollen Zügen in sich hineinschütten dürfen, stand schon auf Seite 122.

Roggen- und Weizenstroh geben die beste Streu. *Ausgemistet* wird morgens und abends. Liegen die Äpfel hübsch auf einem Haufen, holt man sie mit der Schaufel. Sonst trennt man mit der Gabel Mist und Stroh und lädt den Mist mit der Schaufel auf den Schubkarren. Die verbleibende Streu muß sauber und trocken sein. Sie wird nach dem Misten mit frischem Stroh ergänzt. Und eigentlich soll die Streu eine richtige „Matratze“ mit einem klaren Rand zur Stallgasse bilden, und nicht büschelweise aus den Boxen herausgezogen erscheinen. Eigentlich . . .

Ausklang

Nach der konzentrierten Arbeit zu Pferde haben sich die Reiter eine Entspannung redlich verdient. Deswegen finden Sie in Verbindung mit dem Reitstall häufig eine gastliche Stätte — vom schlichten Reiterstübchen bis zur in Edelholz getäfelten Bar. Immerhin, gerade für den Anfänger hat hier das Wort „Restauration", Wiederherstellung, noch seinen guten, ursprünglichen Sinn: Man wird wieder Mensch, die durchgeschüttelten Glieder finden wieder zusammen (der Muskelkater meldet sich erst tags darauf).

Aber ob es um Bier, um Wacholder, um Wein oder Sekt geht, auch hier haben die Reiter ihre geheimnisvollen Bräuche. Passen Sie gut auf, was die anderen machen und wie sie es machen, sonst bleiben gar zu viele „Runden" an Ihnen hängen. Heißt es also zu Fuß „Prost Reiter!", so gehört das Glas unbedingt in die Linke. Dann wird zum Beispiel mit einer Runde bestraft, wer während der Stunde Mütze oder Peitsche verloren hat oder gar selbst vom Pferd fiel.

Wer beim Ausreiten den Reitlehrer „überreitet", ihm also die Spitze der Abteilung streitig macht, schuldet genauso einen allgemeinen Umtrunk wie der, dem das beim Jagdreiten mit dem „Master" passiert, solange dieser noch nicht „Jagd frei" geboten hat, oder wer beim „Halali" am Ende der Jagd noch seinen rechten Handschuh anhat.

Natürlich kann man solche geselligen *Trinkspiele* noch ausdehnen. Zum Beispiel kann es eine Runde kosten, wenn man ein Pferd mit einem Strohhalm im Schweif in die Bahn geführt, als Tête ein Kommando falsch geritten oder einfach bei der Vorhandwendung rechts und links verwechselt hat.

Möglichkeiten genug. Getrunken wird übrigens stets „hinterher". Trunkenheit zu Pferde ist genauso schimpflich (und gefährlich) wie am Steuer eines Autos. Die einzige Ausnahme ist der „Bügeltrunk", ein erfrischender Schluck, den man beim Ausritt zu Pferde kredenzt bekommt. Und jetzt aufgepaßt, die Zügelfaust ist immer die Linke. Das Glas kommt deshalb in die rechte Hand — Prost Reiter!

Erlauben Sie mir, zu guter Letzt noch von unseren *Schutzpatronen* zu sprechen.

Der Ritter *St. Georg* war der Legende nach ein Prinz aus Kappadozien. Er hat den Lindwurm besiegt und soll im Jahre 303 den Märtyrertod erlitten haben. Er ist einer der vierzehn Nothelfer und der anerkannte Schutzpatron der Reiter. Sein Kalendertag ist der 23. April.

Die *Heilige Barbara* haben die Bergleute und die Artilleristen zu ihrer Beschützerin erkoren. Wohl weil sie in einem Turm gefangen saß, den man später als Pulverturm deutete. Wenn ihr Name am 4. Dezember im Kalender steht, schneidet man die Kirschzweige, die zu Weihnachten blühen sollen.

Der *Heilige Hubertus* soll ein gewaltiger Jäger gewesen sein, und ist folglich deren Beschützer. Der Legende nach ist er durch einen Hirsch bekehrt worden, der ihm mit einem strahlenden Kruzifix zwischen den Geweihstangen im Wald begegnete. Er starb 728 als Bischof von Lüttich. Sein Tag ist der 3. November.

So, das wär's. Und nun auf allen Wegen „Guten Ritt!“.

Register